現代哲学ラボ・シリーズ

第2巻

〈私〉をめぐる対決

——独在性を哲学する

著

永井均
森岡正博

明石書店

装幀・北尾崇（HON DESIGN）
絵・内田かずひろ

現代哲学ラボ　全巻のためのまえがき

この「現代哲学ラボ」シリーズで、私たちは二つのことを行なうつもりだ。

ひとつは、過去の哲学者の思想への入門でもなく、いま欧米で流行っている哲学の輸入紹介でもなく、「哲学をいま本気でするとはこういうことなのだ」という入門を行なう。私たちは「哲学をする」という行為を最初から最後まで一貫する。このシリーズを通して入門できるのは「哲学をする」ことのみであり、したがって私たちはいかなる最終的な結論にも導かれないだろう。

もうひとつは、日本語をベースとして、オリジナリティのある哲学を作り上げる。私たちは自身の力で行けるところまで行き、考えが尽き果てるところまで考え続ける。その試みに終わりはなく、私たちはふたたびいかなる最終的な結論にも導かれずに終わるだろう。「日本語で哲学をする者たちよ、現われよ」と言われて久しいが、欧州大陸や英米の哲学を輸入紹介することをもって「哲学」と呼ぶ慣習はまだ続いている。私たちは、それらとは異なった道筋を開きたい。

本シリーズは、二〇一五年から二〇一六年にかけて東京で行なわれた「現代哲学ラボ」

の4回の討論会をもとにして作り上げられた。「現代哲学ラボ」は、森岡正博と雑誌『哲楽』編集人の田中さをりが世話人となって設立された連続討論会企画である。すなわち、第1回「運命論を哲学する：あるようにあり、なるようになるとは？」（入不二基義・森岡正博　二〇一五年一〇月九日）、第2回「永井均氏に聴く：哲学の賑やかさと密やかさ」（永井均・森岡正博　二〇一五年十二月十二日）、第3回「「生まれる」ことをめぐる哲学」（加藤秀一・森岡正博　二〇一六年七月八日）、第4回「〈私〉と〈今〉を哲学する：無内包の現実性とは？」（永井均・入不二基義・森岡正博　二〇一六年九月二十三日）である。

これらの討論内容は、哲楽編集部の編集で電子書籍として刊行された。『現代哲学ラボ』のシリーズ図書4巻としてAmazon.co.jpで購入することができる。この電子書籍に、著者たちが大幅に加筆をして議論をさらに展開したのが、今回刊行される書籍全4巻である。著者たちそれぞれの、その後の思索の深まりが凝縮されたものとなった。

私たちの試みを、「J－哲学」あるいは「J－フィロソフィー」と名づけてみても面白い。ちょうど「J－ポップ」や「J－文学」があるように、日本から自生的に出てきて国際的な潮流に寄与し得る哲学という意味で、これらの言葉を使うことができる。「日本哲学」と言わないのは、この言葉が、鎌倉新仏教から京都学派までの日本の哲学を研究対象とする学術を指して、すでに国内外の学界で使用されているからである。

「J-フィロソフィー」という言葉は、横山輝雄によって提唱されたものだ。横山は二〇〇七年に刊行された論文「生命の哲学と生物学の哲学：J-フィロソフィーの可能性」(『哲学の探究』第34号、41～51頁)で、次のように語っている。明治期に西洋から哲学が輸入され、日本では長らく西洋哲学研究が哲学と呼ばれてきた。しかし近年の国際化にともない、日本語で自前の哲学を行なう環境が生まれてきた。日本語による哲学の試み、すなわち「J-フィロソフィー」はすでに出現しているのである、と。読者はこれを聞いて、西田幾多郎が率いたかつての京都学派の哲学を思い浮かべるかもしれない。

しかし私たちの試みは、京都学派とは異なる新たな「J-哲学」「J-フィロソフィー」として形づくられる。私たちは西洋に対抗して東洋的な無を対置したりはしない。私たちが行なうのは、日本語をベースとした、オリジナルな世界哲学である。私たちの哲学は、世界の人々と呼応し、長い時間をかけて世界哲学の展開へと貢献していくことになるだろう。

二〇一九年一月十二日　編著者を代表して

森岡正博

第2巻のまえがき

『現代哲学ラボ』第2巻では、永井均と森岡正博が、〈私〉を徹底的に掘り下げる。これまで正面から語られることのなかった新しい哲学の世界が切り開かれていくのを味わってほしい。本書は、『現代哲学ラボ』第1巻（入不二基義・森岡正博著「運命論を哲学する」）を読んでいなくても内容を理解できるようになっている。

第1章では、森岡が、永井の〈私〉についての哲学の入門部分を、できるかぎり分かりやすく解説する。

第2章は、現代哲学ラボの当日の様子を再現したものである。

第3章では、森岡が、現代哲学ラボの対論を受けて、永井の独在性の哲学をじっくりと検討し、議論を展開する。

第4章は、永井が森岡の考察を受けて、本書のために新たに書き下ろしたものである。森岡が第3章で提起した問題点を徹底的に批判している。

第5章は、永井からの批判を受けて森岡が考えたことを記している。

本書では〈私〉の問題を集中的に扱うが、〈私〉の問題は、時間的な「今」の問題と密接に結びついている。「今」については、「現実性」との関連をも含めて、引き続き刊行予定の第3巻「現実性を哲学する」(仮題)にて本格的に扱うことにしたい。

読者は、いまここに現にひとりだけ特殊な形で存在するものについての、不思議で妖しい在り方に惹きこまれていくであろう。

あとがきは、田中さをりによって書かれた。

森岡正博　記

現代哲学ラボ・シリーズ 第2巻 〈私〉をめぐる対決――独在性を哲学する◎もくじ

フロアからの質問

第Ⅲ部　言い足りなかったこと、さらなる展開

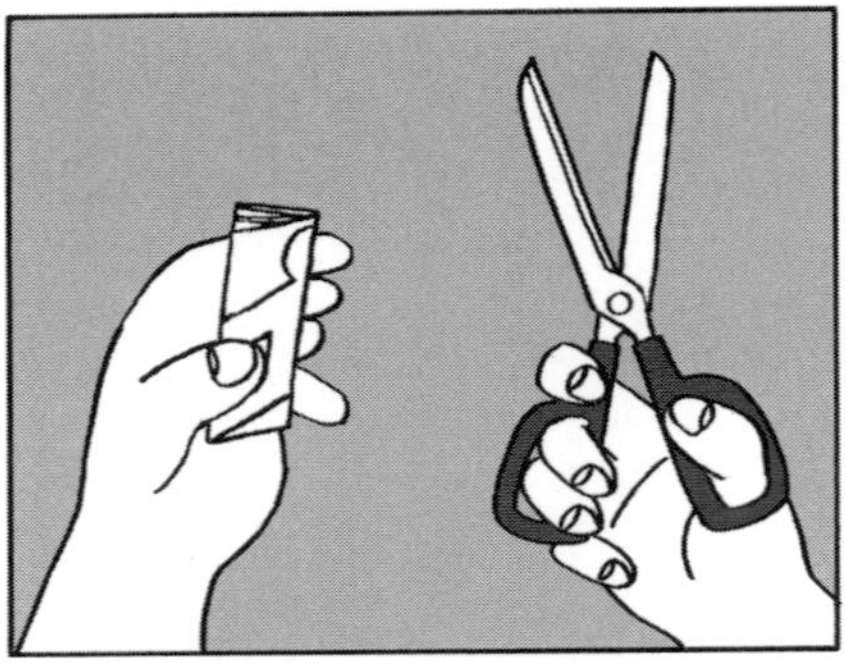

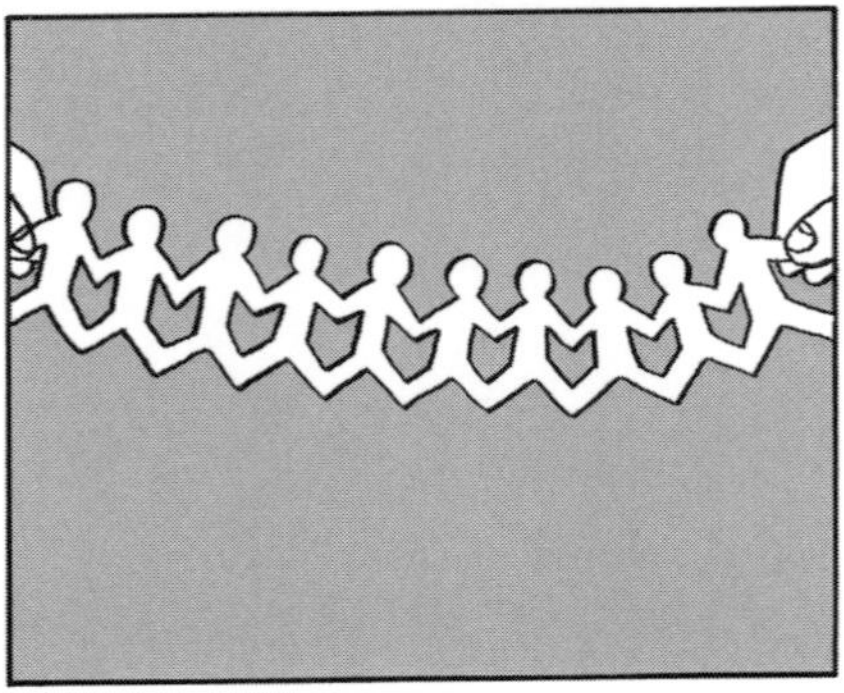

現代哲学ラボ・シリーズ　第2巻

〈私〉をめぐる対決——独在性を哲学する

第I部

この本で何が語られるのか

第1章
〈私〉とは何だろうか?

森岡正博

1　何が問われるのか

この本では、「私とはいったい何なのか？」という問いを哲学的に考えていく。私とはいったい何なのかと言われても、「それはここにいる私のことだよ！」と答えたらそれで終わりのような気もする。しかし、よく考えてみたら、「ここにいる私！」と言われても、なにも明らかになっていない。

哲学者たちは、この問題を二〇〇〇年以上も前から考え続けてきたが、それでもなお最終的な答えには辿り着いていない。そのなかで、永井均がここ四〇年ほど積み重ねてきた独自のアプローチは、たいへんユニークなものである。永井は、単なる私とは区別されるような「この私」というものに注目し、そこに「私とは何か」の本質があると考えた。本書では、永井の哲学をていねいに検討し、その可能性と問題点を見定めていくことにしたい。

2　〈私〉とは何か

この世界にはたくさんの人間たちがいる。家族、友人、仕事仲間、見知らぬ多数の人々がいる。それらの人間たちのなかで、私だけが、他の人たちとはまったく異なった仕方で存在している、というふうに思ったことはないだろうか。

たとえば、あそこを歩いている人を蜂が刺したとしても、私には直接の痛みは感じられない。隣にいる友人を刺したとしても、私には直接の痛みは感じられない。しかし私の身体を蜂が刺したら、強烈な痛みを感じることだろう。つまり、この世界にはたくさんの人間たちがいるけれども、蜂に刺されたら直接的な痛みを感じるような人間は、ここにひとりだけしかいないのである。

これは当たり前のように思われるかもしれないけれど、よく考えてみればとても不思議なことなのだ。どうして私はひとりだけ、そのような特別な在り方で存在しているのだろうか。

教室に三〇人の生徒がおり、教師が生徒の頭をひとりずつコツンと叩いていったとする。そのときに、他の生徒の頭が叩かれているうちは私には何の痛みも感じないのだが、何番目かに教師が私の頭を叩いたときだけ、私は直接的な痛みを自分の頭にズシンと感じてしまう。私がそのような痛みを直接的に感じるのは、三〇回の教師の体罰のうちの、たったの一回だけである。私が世界に存在している在り方は、他の二九人の存在のあり方とはまったく異なっている。直接的な痛みを感じるような人間は、ここにひとりだけしかいないのである。

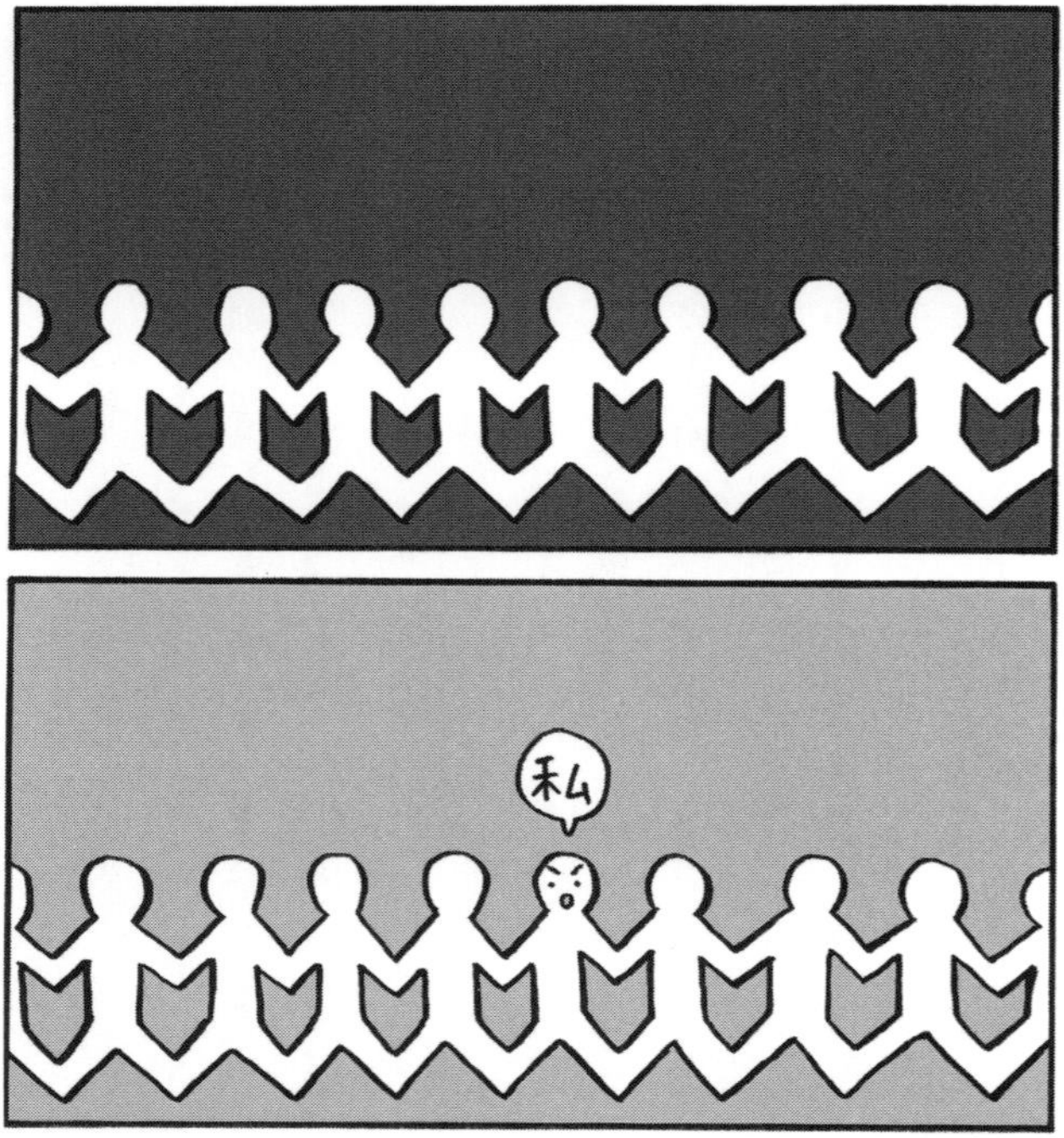

私はこのことを他の生徒に話してみる。すると、話を聞いてくれた生徒たちは、たしかにそのとおりと頷くのだ。彼らは言う。「そうそう、私の場合も同じなんだよね。先生が私の頭を叩いたときだけ、直接的な痛みが自分の頭にズシンとくるんだ」。彼らのひとりがそう言って周りを見回すと、その他の生徒たちも「そうそう、自分の場合も同じ」と言って頷くのだ。そうやってこの話は、「すべての人は、自分の頭が叩かれたときだけ、

直接的な痛みを感じる」という話になって決着するのである。

もちろん、「すべての人は、自分の頭が叩かれたときだけ、直接的な痛みを感じる」という命題は間違っていない。しかしながら、驚くべきことに、その正しい命題によっては、私がいちばん最初に言いたかったことがまったく言い表せていないのである。私はいちばん最初に、「この世界にはたくさんの人間たちがいるけれども、教師から頭を叩かれたら直接的な痛みを感じるような人間は、ここにひとりだけしかいないのである」と言っていた。しかし、みんなでその話をするうちに、「どんな人でも自分が叩かれたときだけ痛いよね」という結論になってしまった。だとしたら、私がいちばん最初に思っていた「痛みを感じる人はここにひとりだけしかいないのである」というこの「ひとりだけ」はいったいどこに消えてしまったのだろう？みんなとこの話をしているうちに、何か不思議な力が全員にはたらいて、この「ひとりだけ」という重要な性質がどこかへ消え去ってしまったのではないか。私がこの世界に存在している在り方は、他の人間たちとはまったく違うはずなのに、どうしてそれがいつのまにか、みんなに共通に当てはまる話へと置き換わってしまったのだろう。

「教師に叩かれて直接的に痛いのはこのひとりだけだ」という「ひとりだけ」を強調する話をしていたのに、どうしてそれが、「〈教師に叩かれたら直接的に痛いのはこのひとりだけだ〉

という事実はすべての人間に等しく当てはまる」という「共通性」の話にすり替わっていくのだろう。ここで消え去ってしまったものは、いったい何だろうか。

もういちど最初から考え直してみよう。私はこの世界の中で、ただひとりだけ特別な形で存在しているという側面を持っている。これが私の言いたかったことであった。これは私がただ一人の国王であるとか、アインシュタインのような大天才であるというようなことを言いたいのではなくて、私はふつうの平凡な人間にすぎないのだけれども、蜂に刺されたら直接的な痛みを感じるようなただひとつの身体を生きているという意味で、ただひとりだけ特別な形で存在しているということを言いたいのである。この「ひとりだけ」というところに、何かの真理がきらめいているのである。

しかしながら、このことを言葉にして口に出したそのときに、私の言いたいことはまったく別の意味へと自動的に読み換えられてしまうのだ。すなわち、「私はこの世界の中で、ただひとりだけ特別な形で存在している」という私の発言は、すべての人間に等しく当てはまる共通の真理として人々に受容されるのである。なぜなら、すべての人間は自分自身のことを「私」と呼ぶのであるから、すべての人間は自分自身を振り返りながら「私はこの世界の中で、ただひとりだけ特別な形で存在している」と考えることができるからである。こうして、私のもっとも言いたかった「ただひとりだけ」は、「私のただひとりだけ」から「みんなのただひとりだけ」へと不可避的に変質してしまうのである。

そもそも私はそんなことを言いたかったのではないのだ。「自分を振り返ってみれば、どの人間もただひとりだけ特別な形で存在しているよね！」というようなことを私は言いたかったわけではないのだ！　そういう言い方へと翻訳されたときに決定的に失われてしまうような真の「ただひとりだけ」とでもいうべきものを私は語りたかったのだ！

そう思った私は次のような説明の仕方を発明する。

世界にはたくさんの「私」がいる。しかし、その中で「この私」はひとりしかいない。蜂に刺されたときに直接的な痛みを感じるのは、ひとりしかいない「この私」である。「この私」は、世界の中でただひとりだけ特別な形で存在している。「この私」は、世界に存在する多数の「私」たちとはまったく異なった仕方で存在しているのである。「この私」という言葉を導入することによって、私の言いたかった「ただひとりだけ」ということが正しく表現できるようになる。

しかしながら、この作戦もまた、もののみごとに失敗するのだ。

なぜなら、「この私」という言葉もまた、私以外の人間たちが自分自身を指す言葉として使うことができるからである。すなわち、私以外のAさんやBさんもまた、自分自身を振り返りながら、「「この私」は世界の中でただひとりだけ特別な形で存在している」と堂々と言うことができるのである。こうやって、この命題もまた、すべての人間に共通に当てはまるようなものとして人々に受容されるのである。こうやって、私のいちばん言いたかった「ただひとりだけ」というものが見事に消し去られていく。

だとしたら、私はさらに「この」という接頭辞を付け加えて「この「この私」」という言葉を発明し、私だけが「ただひとり」であることを訴えればいいのか。だがそれも同じ結果に終わるだろう。「この「この私」」という言葉もまた、すべての人が平等に使えるからである。これをいくら続けていっても無限後退に陥るだけであり、私は自分がいちばん言いたかったことをけっして言えるようにはならない。

永井自身の言葉でどう書かれているかを見ておこう。

どの人間も、もちろんみなある意味では、それぞれ「私」であろう。しかし、そのうちひとつだけが、まさにこの私であるという理由で、他の「私」たちから区別されることは否定できまい。だが、そのように言えば、どの人間もある意味ではそれぞれが「この私」ではないか、と反問されるかもしれない。この反問に対しては、再びこう答える

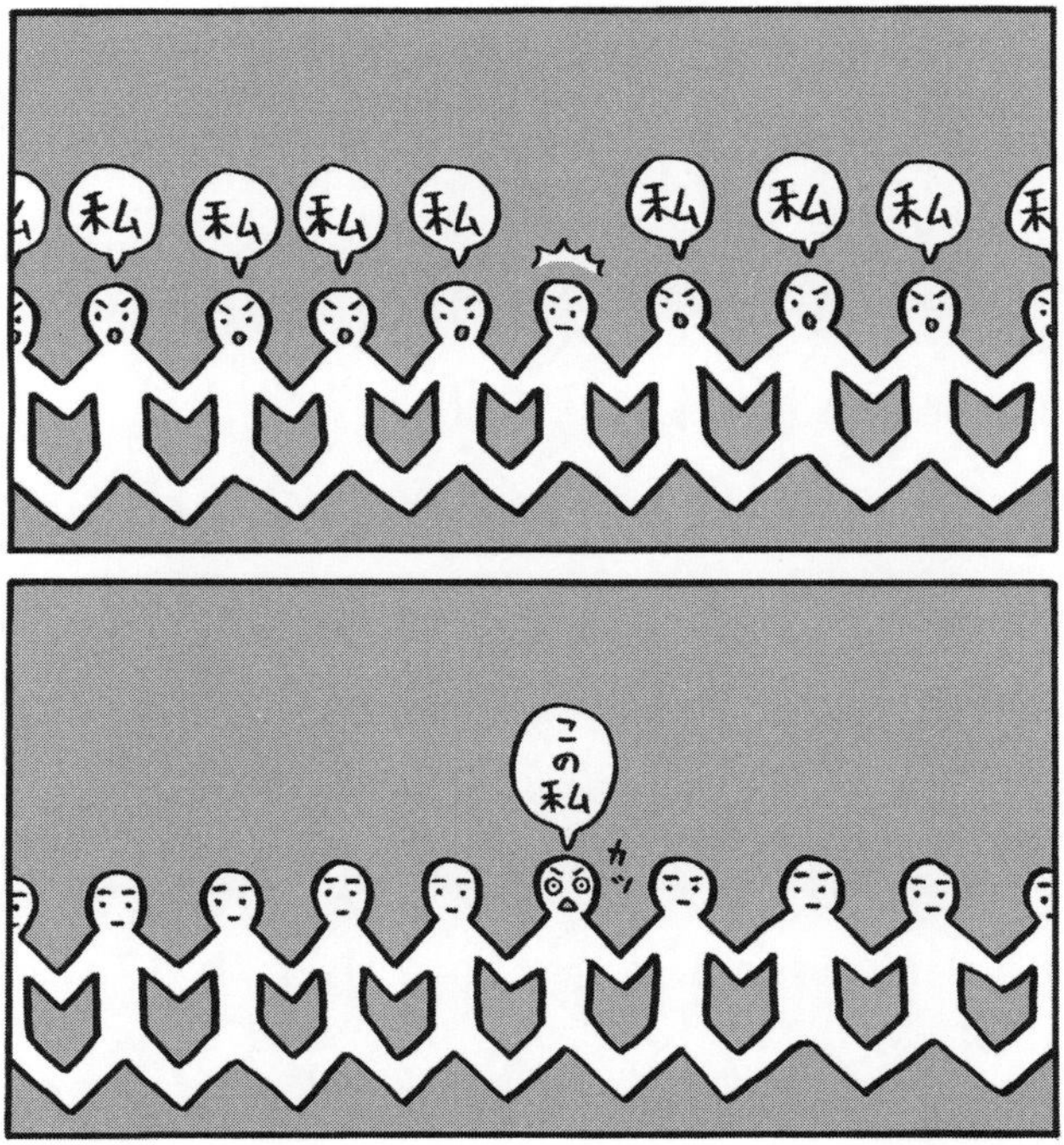

ことができる。どの人間もみなそれぞれが「この私」であるかもしれないが、そのうちひとつだけは、まさにこの「この私」であるという理由で、他の「この私」たちから区別されるのである、と。もちろん、この問答は果てしなく続く。（『〈魂〉に対する態度』二二三頁、傍点は永井による）

このように、「世界の中でただひとりだけ特別な形で存在している」という私の特殊な在り方について公共言語で

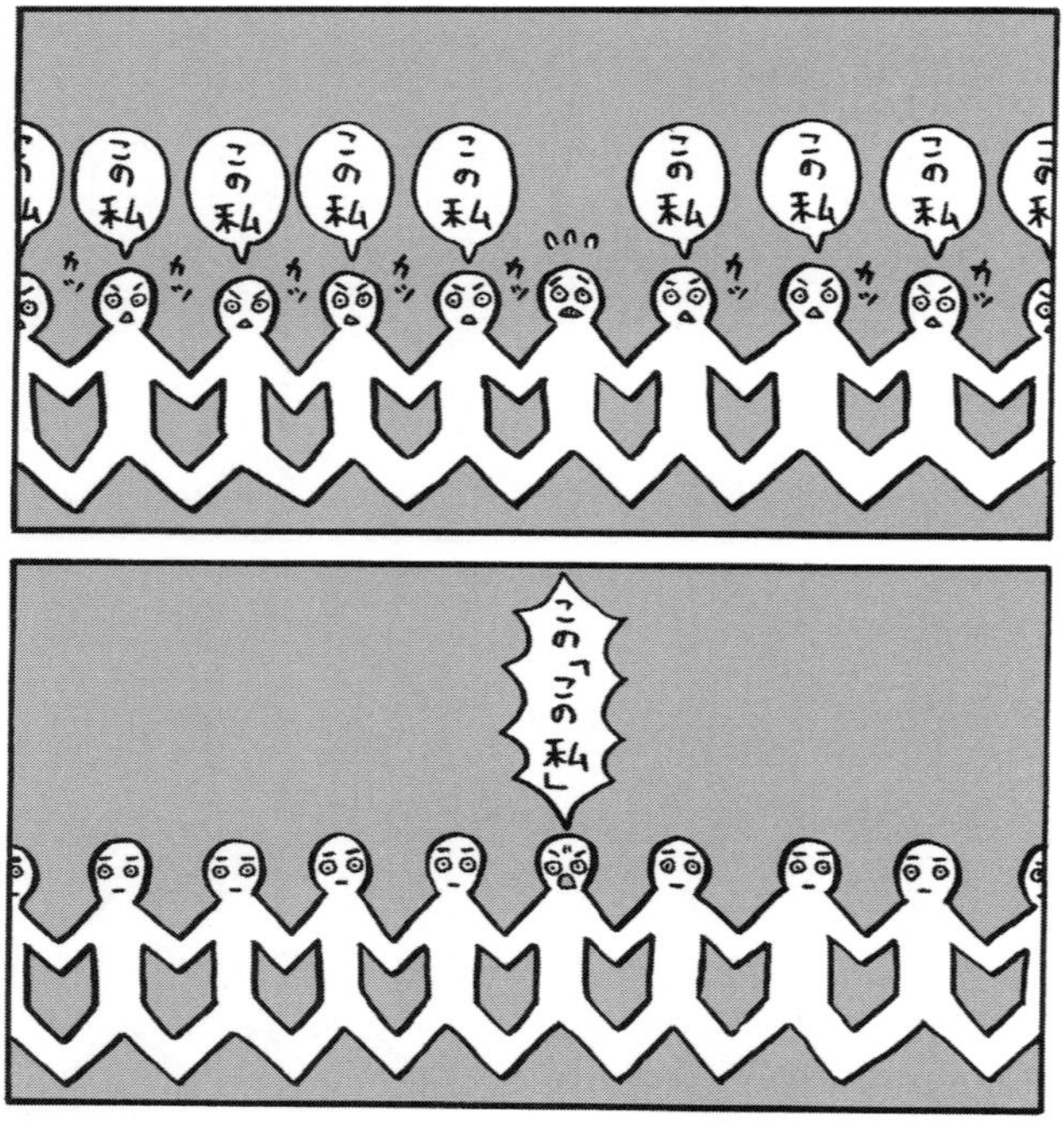

語ろうとしたときに、私のいちばん言いたかったことはなぜか骨抜きにされ、言葉では正しく表現できなくなる。「誰にでも等しく当てはまったりはしない私の在り方」ということを言いたかったのにもかかわらず、公共言語の不思議なはたらきによって、それは誰にでも等しく当てはまるような私の在り方へと自動変換され、私が最初に言いたかったことがきれいに消し去られていく。このときに、公共言語のはたらきによって消し去

られてしまった私の在り方のことを、〈私〉と呼ぶのである。（いま書いたこの文章は森岡による表現であり、永井はこのようには言っていない。永井の表現の仕方については第3章で検討する）。

〈私〉という在り方が持っている性質のことを「独在性」と呼ぶ。〈私〉の独在性を言葉で表現するのはたいへん難しい。なぜなら、さきほども見たように、〈私〉について語ろうとすると、その意味内容が〈私〉ではないものへと自動変換されていくからである。その理由は、みんなが等しく使用できることを目的として整備された公共言語から、何かの圧力を受けているからだと考えられる。

ここで、誰にでも等しく当てはまるような私の在り方のことを、「私」と呼んでおこう。〈私〉について公共言語で表現したとたんに、〈私〉は「私」へと変換される。その変換が起きたときに、私がいちばん言いたかったことは骨抜きにされ、私は「本当に言いたかったのはそれではない！なぜ本当に言いたいことが言えないのか！」と悔しさの歯ぎしりをするであろう。このとき、まさにこの悔しさの歯ぎしりの「それではない！」の叫びによって一瞬垣間見えるもの、それこそが〈私〉であると言える。そして不思議なことに、この悔しさの歯ぎしりの「それではない！」の叫びを表現することによって、〈私〉というものの真の意味が他人へと伝達されることがある。これは必ず起きるわけではないが、実際に起きることがある。〈私〉とは、そういう形によって伝達可能なものである。

〈私〉から「私」への自動変換と、それに対抗する悔しさの歯ぎしりの「それではない！」の叫びにおいて、二つの正反対の力がはたらいていることにも注目しておきたい。ひとつは、独在的なものをたえず公共的なものへと変換しようとする公共言語の力である。もうひとつは、その力に圧迫されて消え去ろうとする独在的なものを、流れに逆らって浮上させようとする、独在性への気づきの力である。

読者のみなさんは、ここまで読んできて、まだ〈私〉の概念をクリアーには摑みきれてないかもしれない。それはそれでかまわないので、独在性の哲学においていったいどのようなことが問題とされているのかについて、まずは大きなイメージを持っていただければと思う。

ここでひとつだけ注釈を付け加えておきたい。読者のなかには、「〈私〉というのは、自分だけに見えたり感じられたりする霊魂のようなものなのか？」という疑問を持たれた方もいるであろう。もしその「霊魂」というものが、幽霊のような実体、あるいは微小な重さを持った物質のようなものだとしたら、それは〈私〉ではないということに注意していただきたい。〈私〉というのは、世界にただひとりだけ特別な形で存在している私の在り方のことであるから、私はけっして〈私〉を見たり、触ったり、動かしたりすることはできない。私には腕があり、心臓があり、脳があり、そして〈私〉がある、というふうにして並列に語ることはできない（霊魂ならばそのように語ることはできる）。もしこの世界に外部から〈私〉が降ってきたとしても、この世界には何ひとつ実在は増えないだろう。

だが、もし霊魂ではないとしたら、〈私〉とはいったい何なのだろう。それについて、まだまったくイメージを摑めない読者の方がいたら、ここでいったん自分の内面に目を向けてみていただきたい。すると自分が息をしていることや、心臓が鼓動していることが分かるであろう。目を上げて周りを見れば、部屋のカーテンや天井が見えてくるであろう。そして私はいまここに生きていると感じることができるだろう。このときに、いまここに生きている私においてのみありありと成立している経験の在り方というものに、スポットライトを当ててみてほしい。そのときに、〈私〉という在り方が、ひょっとしたら捕まえられているかもしれない。ただしこの説明の仕方は、〈私〉以外のもの（たとえば西田幾多郎の「純粋経験」のようなもの）をも指し得るがために、正確な語り方とは言えない。私は第3章で別の言い方をするし、永井もまたこれを正確に言おうとして四〇年をかけてきたのである。そしていま、このパラグラフでこうやって言語化されることによって、この説明自体から〈私〉の独在性が消し去られ、「私」へと読み換えられていく。なんてやっかいなんだ、〈私〉というものは。

哲学に親しい読者は、要するに独我論ということかと尋ねたくなるかもしれない。独我論と言ってもいろんなタイプの独我論があり、永井もまた著書で独我論という言葉を使って自分の説を説明している場合があるから、これは難しいテーマなのだが、基本的には、〈私〉の独在論と通常の独我論は別物だと考えておくのが良いと森岡は思う。通常の独我論とは、私だけが自己意識や霊魂を持っており、私以外の他人たちは自己意識や霊魂を持っていないとするような考え方である。たとえば私以外の他人たちはすべてよくできたロボットであるというような考え方がその一例である。あるいは森岡だけがこの宇宙には存在しているのであり、森岡が死ねば宇宙も同時に消滅するというような考え方である。〈私〉の独在論は、そのような考え方とは基本的に無関係である。

〈私〉の独在論においては、世界でただひとりだけ特別な形で存在している私の在り方が論点になっているのであって、私の意識だけが世界に存在しているとか、他人の内面には自己意識がないとかの主張をしているわけではないのだ。この点は押さえておいてほしい。それが分かったうえでならば、独我論や独我論的という言葉を適切に使うのは許されると森岡は思う。これから何度も出てくることになる哲学者ウィトゲンシュタインは、自身の著書で独我論をある意味で肯定的に語っている。だが今日では、独我論という言葉はほとんどの場合、否定的に用いられる。哲学の世界で「あなたの考え方は独我論的だ」と言われたら、あなたは否定的な評価をされたのである。しかし独我論の肯定的な側面もまたあるはずなので、それを考えていくことは重要である。

3 〈私〉とは誰のことか

ここまでの話を読んできて、「ではその〈私〉というのは、いったい誰のことなのか？」という疑問を抱いた読者もいるだろう。これもまたたいへん難しい問題で、すぐに結論が出るものではないが、少しだけ考えてみよう。

〈私〉とは、「世界の中でただひとりだけ特別な形で存在している」ような私の在り方のことを指すのであった。では、そのような在り方をしているのは具体的にはいったい誰なのか。もしここで森岡が、「それは森岡です」と言ったとすれば、いまこの文章を読んでいる読者は、「いや、それはちょっと違うんじゃないか」と言いたくなるだろう。もし読者の名前が山田花子さんだったとすると、「〈私〉は森岡さんではなく、山田花子です」と言いたくなるはずである。ところが、山田さんと森岡のやりとりを隣で聞いていた東京太郎さんは、「いやいや、〈私〉は森岡さんでも山田さんでもなく、東京太郎です」と口を出したくなるはずだ。なぜなら〈私〉というのは世界の中でただひとりだけ特別な形で存在しているような私の在り方のことだから、〈私〉という在り方をしている者が複数いるということは、あってはならないからである。だからどうしても、〈私〉というのはこの自分であると言いたくなるのである。このようにして、

〈私〉という概念に誠実に向き合いながら、〈私〉とは誰なのかを探求していく営みは、「〈私〉は××である」と発話する他人の言葉を、「それは間違っている」と互いに否定し合っていくような言語ゲームにならざるを得ないのである。ここに〈私〉をめぐる言語使用の特殊性がある。

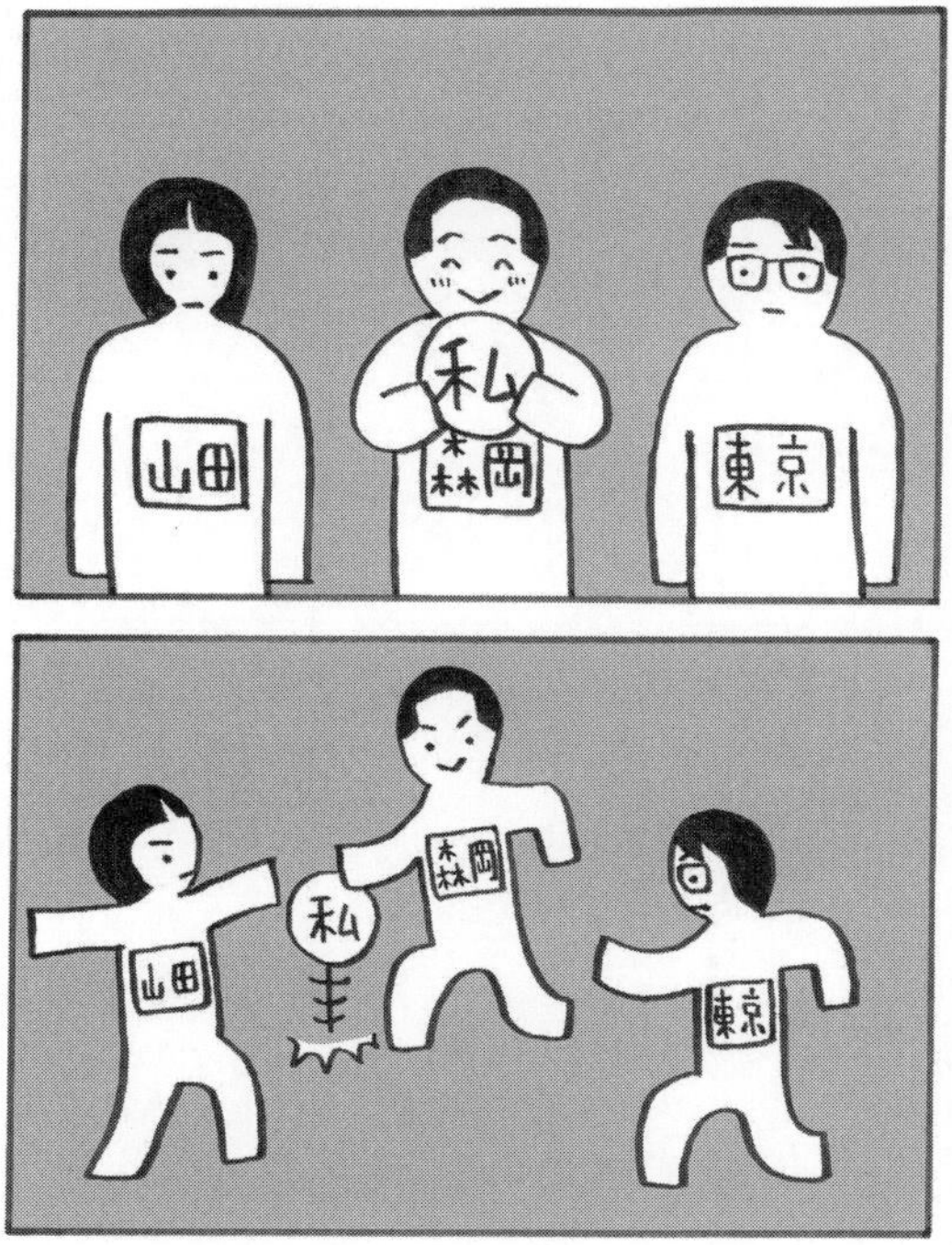

たとえば山田花子さんが自分自身のことを反省的に眺めて「〈私〉は山田花子である」と言ったとする。そのときに、それを聞いた東京太郎さんは、その言明はどう考えても間違っていると思うだろう。東京太郎さんは自分のことを反省的に眺めるかぎり、「〈私〉

は東京太郎であり、けっして山田花子ではない」と思わざるを得ないはずだ。しかし東京太郎さんがそれを言葉に出すと、今度は別の人からそれを否定されることになる。この堂々巡りのなかに、〈私〉のひとつの真実がクリアーに表われている。

この堂々巡りを終わらせて全員がハッピーになるやり方がある。それは、「みんながそれぞれ〈私〉である」というふうにして解決するやり方である。山田花子さんも「山田花子は〈私〉である」と言っていいし、東京太郎さんも「東京太郎は〈私〉である」と言っていいというふうにするのである。このようにすれば、堂々巡りは終焉し、すべての人が自分自身のことを〈私〉であると呼べるようになる。そして、このような形で〈私〉という言葉が使い始められたそのときに、〈私〉という言葉の中から、「世界の中でただひとりだけ特別な形で存在している」という表現で真に意味されていたものが、決定的に消滅してしまうのである。このようにして、〈私〉を固有人名と結びつける場面においても、「私」と「この私」の場面で生じたような問題、すなわち公共言語で表現したとたんに、当初に言いたかったことがどうしても言えなくなるという問題が発生するのだ。

では、先ほどの場面において、森岡と山田さんと東京さんのうち、どの人が正しいことを言っているのか。この三人のうち、どの人の言っていることもそれぞれ正しい、というふうにはぜったいにならないという点が重要である。それを認めてしまうと、各自には各自の〈私〉があることになり、そうなるとそれはもはや〈私〉ではないからである。〈私〉はひとりだけであるという点は動かすことができない。じゃあ、そのひとりだけの〈私〉はいったい誰なのかであるが、その答えはここではいったん保留しておくことにする。なぜなら、この点について永井と森岡は異なった見解を持っている可能性があるからである。それについては第3章以降に回すことにしたい。

永井は、〈私〉について述べたのと同じようなことが、「時間」についても当てはまると考えている。時間を構成するものとして「今」があるが、時間軸のどの一点とも重ね合わせることのできる任意の「今」とは区別されるところの、まさに「この今」としか言いようのないものがあると指摘する。それは「この私」という言葉に対応するものである。独我論になぞらえて

言えば、独今論ともいうべき時間論があり得るかもしれないのである。しかしその場合でも、時間には「流れる」という不思議な特性があるために、〈私〉の場合とそっくり同じような議論は成立しない。永井の時間論は「現代哲学ラボ」シリーズの第3巻で本格的に取り扱うこととし、第2章のトークではそのさわりの部分だけを味わっていただきたい。

　また永井は、『哲学の密かな戦い』において興味深い思考実験をしている。人間が面と向かって対話するときに、語る人の言葉は「口」から出てくる。だから、ある人が「私」と言ったときに、その「私」という言葉でどの人間が指されているのかを人々は即座に判別することができる。その「私」という言葉が出てきた口を持った人間が指されているのである。しかし、もし「すべての人の声が一つのスピーカーから発せられるような世界」があったとしたらどうだろうか。そのような世界では、誰が「私」という言葉を発したとしても、それはかならず一つのスピーカーからしか聞こえないのだから、その言葉で誰が指されているのかまったく分からないのである。その世界でいったいどんなことが起きるのかについては、第2章をご覧いただきたい。

さて、これから〈私〉の謎をめぐる哲学対話が始まる。森岡は永井の独在性の哲学にどこまで迫ることができるのだろうか。そして森岡は永井の哲学を念頭に置きながら、いかにして自分の問題意識を貫いてそれに対抗していけるのだろうか。また永井は、独在性の哲学のその先に、どのような地平を見定めているのだろうか。それらは森岡がこの原稿のこの箇所を書いている時点ではまったく分からない。哲学の営みがこれからリアルに展開していく様子を、読者のみなさんにはぜひ一緒に楽しんでいただきたい。

それでは、「現代哲学ラボ」の現場にようこそ！

◎語句解説

公共言語、私的言語

「私的言語」は、ウィトゲンシュタインによって発案された概念。そもそも言語は複数の人々のあいだで公共的に使われるものである（公共言語）。ウィトゲンシュタインは、これと正反対に、私だけが使うことができて、私だけにその意味が正しく分かるような言語があるだろうかという問いを立てた。ここでは、私の内的な感覚を指す言葉が念頭に置かれている。これを「私的言語」と言う。ウィトゲンシュタインは「私的言語」は成立しないと考えた。

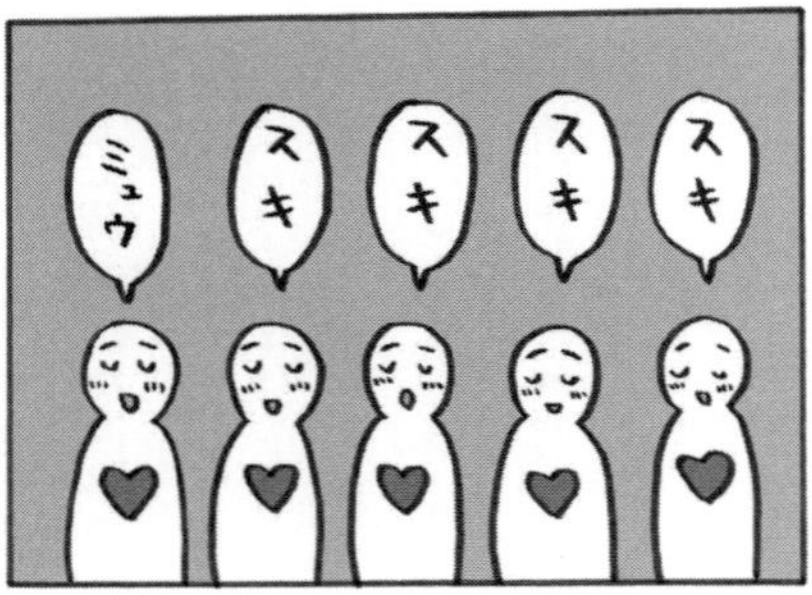

独在性

私は、この世界のなかに、他人たちとはまったく異なったあり方で存在していると考えられる。そのようなあり方やその性質を永井均は「独在性」と呼んできた。この言葉は入不二基義や森岡正博によっても使われている。「独在性」は「独我性」とは異なる。

独我論

この世界に存在するのは私だけであるとする考え方。認識論的な独我論は、もし他人の身体の中に精神があったとしても、私はけっしてその精神を直接に認識することはできないとする。したがって、私は他の精神の存在を確かめられないというのである。存在論的な独我論は、この世界には私の精神しか存在せず、他人の精神はどこにも存在しないと考える。この場合、他人のように見える者は、実は良くできたロボット的な存在でしかない。その中身に精神は詰まっておらず、空っぽということになる。このように、独我論は、他人の心の存在を問う他我問題と密接な関係にある。デカルトは「我思う故に我あり」を哲学の根底に置いた。ここから独我論を導くこともできたが、デカルトは神の存在を彼なりに証明することを通して、独我論を避けた。フッサールもまた、自我が直接に経験する世界を基礎的なものとしたので独我論に近づいた。しかしフッサールは独我論を克服するために、ライプニッツ流のモナド論を展開して、独我論を避けた。独我論を正面から肯定したのは『論理哲学論考』期のウィトゲンシュタインである。「独我論の言わんとするところはまったく正しい、ただ、それは語られえず、示されているのである」(五・六二、野矢茂樹訳、岩波文庫)。さらにこの考え方は『青色本』で深められた。この点においてウィトゲンシュタインは特異な哲学者である。彼こそが二〇世紀以降に

おける独我論の哲学的思索の基礎を築いたと言える。永井均はこれらを背景にして、独我論には「〈私〉の独我論」と「「私」の独我論」の2種類があり、後者が前者の真理性を隠すと主張した。ここで言う〈私〉は、独在的な私のことを指している。

可能世界と現実世界

頭で想像された架空の世界は、実際に目の前に存在しているわけではない。たとえば、東京タワーが一〇〇本も並んで建っている東京はどこにも実際には存在しない。そのような豪華な東京が成立しているのは、頭で想像された世界の中だけである。東京タワーを一〇〇棟並べて建設するのは日本の技術力をもってすれば可能であるが、それはいまのところ実現されていない。そのような架空の世界は、可能なのだけれども現実ではないという意味で、「可能世

界」と呼ばれる。これに対して、実際に成立しているこの世界のことを「現実世界」と呼ぶ。現実世界では、東京タワーは一本しか建っていない。「現実世界」は一個しかないが、「可能世界」は数え切れないほどたくさんのバリエーションが考えられる。なぜそれら多数の「可能世界」の中から、東京タワーが一棟しか立ってないこの世界が選ばれて現実のものとなったのかについては、哲学的な謎が残る。「可能世界」の考え方は大乗仏教哲学にまで遡ることができる。ヨーロッパではライプニッツが深く思索した。現代においては、デイヴィッド・ルイスが、「可能世界」は虚構ではなく実際に存在すると考え、現実はそれぞれの可能世界ごとにあると主張した。

現実性

実際には成立しなかったかもしれないものが実際に成立するものとなっている、という事態の持つ性質のことを「現実性」と言う。ただし、「現実性」のはっきりとした定義はないし、右記の説明も言葉が足り

ていない。本シリーズ第1巻『運命論を哲学する』においては、入不二基義の「現実性」の考え方をめぐって議論が行なわれた。

否定神学

ヨーロッパ古代中世のキリスト教神学において展開された一連の考え方。人間は有限であるので、完全な存在である神について「それは××である」というふうに肯定命題で語ることはできない。そのかわりに、「それは××ではない」という否定命題を連ねていくことによって神の本質に近づいていけると考えられた。否定を基礎に置くので「否定神学」と呼ばれる。この源流は古代インドにまで遡る。古代インドの宗教哲学書『ウパニシャッド』のいくつかの議論において、アートマンは「××ではない、××ではない」という形式でのみ語ること

ができるとされた。この否定の道は、アジアにおいては仏教哲学へと展開した。すなわち原始仏教においてはアートマン（我）の否定すなわち「非我（何ものも我ではない）」こそが真理であるとされた。中東・地中海世界においてはグノーシス主義・否定神学へと展開し、その後のヨーロッパ哲学へと影響を与えた。

〈私〉と《私》

永井による独自の概念。ともに独在性を表わすものである。永井の思索はこれらの概念をめぐって何層にも行なわれているので、一言でまとめるのは難しい。本書における説明では、独在的に存在するものについて、「即座に特定の対象を指示する」ものが〈私〉であり、「独在性という形式を表現する」ものが《私》である（第4章参照）。『世界の独在論的存在構造』（二〇一八年）では、まず〈私〉について、「現在の世界にはなぜか存

在している、一人だけ他の人間とはまったく違うあり方をしている人のことを、〈私〉と表記することにする」（二三頁）とされている。《私》については、永井はたとえば次のような語り方をする。「世界には、第一基準によって自己を識別し把握している無数の主体（すなわち諸《私》たち）が存在しており、そのうち一つが現実の〈私〉である、と。しかし、そうだとすると、無数のそのような主体（諸《私》たち）のうちから、唯一の現実の〈私〉はどのように識別されうるのだろうか、という問題が生じる」（八一〜八二頁）。永井によれば、この〈私〉と《私》の「二重成立こそが「独我論は語りえない」ということの真の意味なのである」（三三頁）。第4章の累進構造の図も参照のこと。

（執筆：森岡正博）

第II部

実況中継
「現代哲学ラボ　第2回」

第2章

現代哲学ラボ　〈私〉を哲学する　永井均×森岡正博

「**現代哲学ラボ**」とは、現代哲学の領域で哲学的な思索を発信している人たちが集い、次世代に哲学を伝える場を作りだす活動。

世話人：森岡正博
　田中さをり
賛同人：永井均
　入不二基義

により、二〇一五年から二〇一六年まで運営された。

「第2回 現代哲学ラボ——永井均氏に聴く：哲学の賑やかさと密やかさ」は以下の日程で実施された。
●日時：二〇一五年一二月一二日一四時開始
●場所：ホテル＆レジデンス六本木
写真は当日の模様。右が森岡正博、左が永井均。
（撮影／哲楽編集部）

永井均氏との出会い

森岡　公開インタビューということで、永井さんとのトークを始めたいと思います。みなさん、もちろん永井さんのことは十分ご存知だと思いますけれども、まず、私の目から見て永井さんの簡単なご紹介をしたあとで、最近出された二冊の本の中から、私が気になったことを中心にいろいろお聞きしたり、疑問を呈したりというような感じで、いろんな角度から永井さんのお考えを探っていきたいと思います。

まず、永井さんと私の出会いは実はかなり古くて、もうあんまり覚えていないんですが、確か一九八〇年代半ばですよね。私がまだ大学院生だったんじゃないかと思いますが、ちょうどその時に永井さんが、あれは慶応大学の紀要の論文でしょうかね、その大学紀要と学会誌にも論文を書かれていて。それがいわゆる永井哲学のキーワードになった〈私〉……。これは何と読めば、山鍵ですか？

永井　山括弧《やまかっこ》ですね。

森岡　山括弧ですか。〈私〉（やまかっこのわたし）についての論文があって、それがたまたま東京大学の研究室にあったので読んで、衝撃を受けたんですよ。私も似たようなことをずっと考えていて。その時に、似たようなことをもうすでに考えて論文にしている人がいる、というのですごく驚きました。それでどこかでお会いしてちょっとお話をしたと思いますが、何を話したか、私の方からはまったく覚えていません。何か覚えていますか?

永井　覚えていないですね。会ったことは覚えていて、確か東大の近くですね。

森岡　東大の赤門の前で待ち合わせた気がするんですけどね。

永井　あのあたりで喋ったことは（覚えていますが）、中身は全然覚えていないですね。

森岡　ねえ、全然覚えていないですね。おかしいですね。そのとき私、こっちから本当に会いたいなと思ってお会いした。その頃は永井さん、まったく無名ですからね。そのあと『〈私〉のメタフィジックス』[*1]というご本を一九八六年に勁草書房から出されて。それで注目を浴びたんですが、ちょうどその二年後に私も同じ勁草書房から、『生命学への招待』[*2]という、生命倫理の本を出した、というような流れになっていますね。そのあとはみなさんご存知の通りです。永井さんの書かれたものを読んでいるといつも思うんですが、問題意識がすごく首尾一貫していますす。一つのところに食いついたら離れない。それは本当に哲学者っぽいなあという感じがします。

＊1　永井均『〈私〉のメタフィジックス』（勁草書房、一九八六年）。
＊2　森岡正博『生命学への招待——バイオエシックスを超えて』（勁草書房、一九八八年）。永井と森岡のデビュー作は、勁草書房の富岡勝氏によって編集された。

普遍化できないはずの〈私〉の問題

森岡　その問題意識は何なのかというと、「決して普遍化できないもの」を言語で追い求めていこうとすると必ず空回りして、別のものに読み替えられていくという仕組みがあるのですが、そういう仕組みをあらゆる角度から追求したい、というのが問題意識の中心かなと、私は理解しているんです。そしてその代表選手みたいなものが〈私〉だと思うんですよ。

宇宙の中でこの私だけが特別な形で存在している、みたいなことを言いたくなるじゃないですか。でもそれを言語できちんと言おうとするとそれがすべて失敗していくという、すごく面白いことになっている。この仕組みを綺麗に解釈して論理構築したのが、永井さんのすごいと

ころかなと思います。
　ただ、ちょっとお聞きしたいのは、普遍化できないものを言語を使って表現するという話をしましたが、それって別に〈私〉だけじゃないですよね。〈今〉っていうのがそうだし、〈ここ〉っていうのがそうだし、あと〈現実〉っていうのもそうかもしれないですけれども。永井さんは最初の本では〈私〉に注目したじゃないですか。これ、何か順序あるんでしょうか。〈私〉というのが何か初《しょ》っ端《ぱな》にあって、よく考えたら〈今〉もそうだなとか、〈ここ〉っていうのも似ているな、という話になってきたのか。それとも〈私・今・ここ・現実〉というのが一気にどかんと、同じ問題として出てきたのか。どっちなんでしょうか？
永井　時間的な順番としては一気にじゃなくて。〈私〉ということ、自分のことから考えてこの問題に行き着いて、それであとから考えたら、これは〈私〉だけじゃなくて、同じ構造は〈今〉とか〈現実〉とかそういうものにもあると。〈ここ〉っていうのは体との関係ですから、〈私〉がいる場所が〈ここ〉であると考えることができます。「〈私〉のいる場所」と定義できるとすれば〈私〉と同じ問題になりますね。〈今〉は〈私〉とは独立だと考えられるので、そういう意味では独立なものと独立でないものがあるんですね。でも独立なものはあれですね、〈私〉と〈今〉と〈現実〉の三つしかないですね。

森岡 三つなんですね。

永井 なぜ三つなのかということ自体が謎なんですけれども。なぜ三つもあるのか、ということと、なぜ三つしかないのか。これが謎で、誰かが解明したら大したものだと思います。僕にはわからないですね。なぜかそうなっていると。それぞれが人称と時制と様相というカテゴリーを作り出すわけですけどね。

森岡 それにも関わらず〈私〉が最初に問いとして現れてきたのか、というのも謎ですよね。

永井 そうですね。

森岡 たまたまなのか……。

永井 たまたまってことはありますよね。なぜかというと〈今〉についてその問題を出した人はいて……。

森岡　昔からいますよね。

永井　解釈によればアウグスティヌス[*3]なんかもそうですし、それからマクタガート[*4]もそうだし、いろんな人に（その問題は）あるけど、アウグスティヌスやマクタガートは〈今〉についてだけ出したと思います。それから現実世界ということに関しては逆の問題がありますよね。つまり現実世界ってこれのことなのだから独在するのは決まっていると思うのに対して、デイヴィッド・ルイス[*5]という人がそれと逆のことを言って、どの可能世界もその世界にとって現実なだけで、この世界もただ我々がそこに住んでいるから我々はこれが現実だと思うだけだ、という形で。むしろ独在性の逆の形で。この現実世界というものに関してはふつう独在的に誰でも考えているわけですね。これしか現実世界はないと思っているんですけれど。そうじゃなくて、いかなる可能世界もその世界にとっては現実なんだという形で、つまり誰もがみんな私であるのと同じような形で、それぞれの可能世界にとって現実世界であって、この世界もまたその一例にすぎないんだというふうに逆の問題を提起した人がいますから。そう考えますと問題は独立には存在しているんですが、そのつながりは、まだあまり誰もはっきり言ってないんじゃないかな、と思います。

森岡　なるほど、そうですね。その〈私〉というところに強く注目して照明を当てたのが、永井さんの独自の業績かなっていう感じがします。でもその上で振り返ってみると、ウィトゲンシュタイン[*6]は確かにそういうことを言っていたようには見えますけど。

永井　言っていたでしょうね。言っていたけれど、彼、ウィトゲンシュタインには独自のすごく私的な関心事というか、人生上の問題があって、〈私〉というその問題があるんだけれども、その問題をむしろ消したいと願ったんですよね。それは哲学的な意味というより、人生の課題だったんですね。これはちょっと「煩悩を消滅させる」みたいな話と似ていて、黒崎宏が仏教的に解釈していて[*7]、あれはみんな的外れだと言うけれど、実はそんなに的外れじゃなくて、本当にそういう意図が、意志がウィトゲンシュタインという人にはたまたまあってね、これはほとんど周りの人の誰にも共有されない。まあ誰にも共有されないのは当たり前で、ちょっと意味がわからないものですけど、彼自身は本気でそう考えていたので、その絡みがあるから、ウィトゲンシュタインが何をやっていたかはわかりにくいと思いますね。

＊3　アウレリウス・アウグスティヌス（三五四〜四三〇）は、北アフリカのタガステで生まれる。ラテン語でキリスト教の著述を行うラテン教父最大の神学者となる。その著「告白」にて、時間論を展開している。

＊4　ジョン・マクタガート（一八六六～一九二五）は、イギリスの観念論哲学者。一九〇八年に「Mind」に発表した「時間の非実在性」という論文（John McTaggart, "The Unreality of Time," *Mind* 17, 1908: 456-473.）が有名。時間を現在・過去・未来の変化として見るA系列と、「より前である、より後である」という面から見るB系列とに分け、A系列は時間にとって不可欠であるものの、矛盾を含むので現実に存在できず、よって時間は実在しないと結論した。永井均訳『時間の非実在性』講談社学術文庫、二〇一七年

＊5　デイヴィッド・ルイス（一九四一～二〇〇一）は、アメリカの分析哲学者。独自の可能世界論で反事実的条件文の分析を行った。

＊6　ルートヴィヒ・ウィトゲンシュタイン（一八八九～一九五一）は、オーストリアで生まれイギリスで活躍した哲学者。

＊7　黒崎宏（一九二八～）は、日本の哲学者。ウィトゲンシュタインの仏教解釈については、『ウィトゲンシュタインと禅』（哲学書房、一九八七年）に詳しい。例えば同書四一頁では、「このような哲学観――哲学は「理論」ではなく、ハエにハエ取り壷から脱出する道、解脱する道、を示してやる「活動」であり「戦い」であるという哲学観――においては、哲学というものは全く禅的な営為である、と言えるのではないでしょうか」と黒崎は述べている。

驚きから始まる子どもの哲学

森岡　それはそれで面白い話題で、ウィトゲンシュタインは、若い時にショーペンハウアー*8からすごい影響を受けている。そのショーペンハウアーは仏教から大きな影響を受けているので、永井さんの今の話は、それはそうだろうなと思ったりします。ところで、永井さんの本のタイトルで、『〈子ども〉のための哲学』*9ってありますでしょ。永井さんのものを読んでいると、問題意識の根っこのところにあるのは、何か「不思議」だとか、「驚き」というような――こう言っていいかどうかわからないけれどギリシャ的な――「驚き」というものに対する着目がわりと濃いかな、という印象を私はもつことがあって。それと比較すると、森岡の場合はどうかというと、もちろんそういうのもあるけど、どっちかっていうと私の場合は「青年期の問い」、みたいなものに執着しているような気がします。「悩み」、「恐怖」、「自己否定」だとか。私は永井さんのものを読むと、永井さんはまさに「子どもの哲学」というのがぴったりかな、という気もするんです。

永井　そうだと思いますよ。その通りじゃないですか、はい。

森岡　実際にご自身も「子どもの哲学」と表現されるような問題にずっととりつかれてきたと、

そのような感じで理解しておられますか？

永井　そうです。まったくその通り。

森岡　ということは、永遠に「子どもの哲学」をやっている。

永井　うん。そうですね。哲学のテーマとしては『〈子ども〉のための哲学』という本に書いてあるけれど、「子どもの哲学」と「青年の哲学」と「大人の哲学」と「老人の哲学」という四分類を考えていて、僕の場合はその四つとも興味はありますけれども、やっぱり圧倒的に「子どもの哲学」だと思いますね、事実。

森岡　そういう感じの哲学者だっていうことですよね。実際、現代日本を代表する哲学者の一人だと私は思うし、ずっと注目していかなきゃいけないなと思っています。手元にあるこの『哲学の密かな闘い』[*10]という本と『哲学の賑やかな呟き』[*11]という、ぷねうま舎から二〇一三年に出されたこの二冊ですね、今日はこれを読んだ時に気になったことを中心に話していきます。この二冊、『闘い』の方がどっちかというと本格的な哲学の議論がたくさんあって、『呟き』の方はもっとリラックスして書いたという感じですね。

永井　そうですね。

＊8　アルトゥル・ショーペンハウアー（一七八八～一八六〇）はドイツの哲学者。ペシミストであり、反出生主義者でもあった。ニーチェ、ウィトゲンシュタイン、フロイトらに多大な影響を与えた。

＊9　永井均『〈子ども〉のための哲学』（講談社、一九九六年）。

＊10　永井均『哲学の密かな闘い』（ぷねうま舎、二〇一三年）。

＊11　永井均『哲学の賑やかな呟き』（ぷねうま舎、二〇一三年）。

他人によって主張された独我論

森岡　まず『哲学の密かな闘い』の方からいきたいと思います。さきほども話に出ましたけれども、独在性としか言いようのないものの代表としてまず〈私〉があって、もう一つ〈今〉があるということなんですが、永井さんはこの本の中で、〈私〉の独在性の問題を独我論《どくがろん》という名前で呼ぼうとしていて、それと対照的に〈今〉の独在性を「独今論」と。これは何と読むのですか。

永井　「我」を「が」と読むんだったら「こん」になりますね。「どっこんろん」です。

森岡　「どっこんろん」ですか。すなわち独我論《どくがろん》と独今論《どっこんろん》があって、その二つは対応するというか、よく似ているという議論をされていて、大変面白い。ちょっと引用すると、この本の三一八頁にこういう文章があります。「他人によって主張された独我論に対応するのが、独今論においては文字に書かれた独今論なのである」という文章があって、非常に面白い議論をされていますよね。まず「他人によって主張された独我論」ってどういうことかというと、独我論の意味を知っている人がこことここに二人いたとしますよね。その時に一方の人が「独在的に存在しているのは私です」と言ったとします。するとそれを聞いていた方はおそらく、それを否定するということが考えられる。「いや、違います」と。「独在的な存在は、私です」と言うだろう。すると、「いやいや、独在的な存在者は私ですよ」っていうふうに最初の人は返すような気がする。これはお互いに相手を否定しあうことになりますけれども、実はこれこそが正常なコミュニケーションだというふうに森岡は思うんですね。だから他人が独我論を主張した時に、互いが互いを否定しあうようなコミュニケーションが続いていくことこそが、その二人が独我論を正しく理解していることの証拠になるわけです。

だとすると、それと同じことが実は独今論についても言えるんじゃないかというようなことを、おそらく永井さんは仰ろうとしています。そして、独我論の場合は他人が独我論を主張するわけですが、〈今〉についてはどうなるかというと、例えば、「私は今、この文字を書いている」っとワープロで書いて、そしてプリントアウトしたら、そこに「私は今、この文字を書いている」っていう文章が印刷されますよね。その文章を私が読んだ時に何が起きるかというと、読んでいるその時が、私にとって〈今〉じゃないですか。ということは、「私は今、この文字を書いている」という文章がプリントアウトされて出てくるんだけど、そこに書いてある「今」ってのはもう「今」じゃないわけでして、その文章は常に間違っていることになる。でもそれでいいんだってことですよね。だから、書かれた独今論は常に誤りになっていくという構造があるのだけれども、これはまさに正常なことなのであり、言語の正しい使用だ、というようなことを永井さんは言っている。まずここまでは、これでよろしいでしょうか?

永井　今のプリントアウトの話って、例文が「私は今、この文字を書いている」でしたよね。それだとちょっと独今論にならなくて、「これこそが本当の〈今〉である」とか、「ここにしか〈今〉はない」とか……。

森岡　なるほど、そこを強く言わないといけないのですね。

永井　そう。「これこそが現にある唯一の本当の〈今〉だ」というふうに書くんですよね。あとから読むと、もうそれは嘘じゃないですか。これ、もう移っちゃっているからね。でも、意味はわかりますね。その時はそこが唯一の本当の〈今〉だったんだなって。だから、そこに書いたことは嘘かっていうとそうじゃなくて、〈今〉ってのは対等に並んで存在しているわけじゃないんですよね。必ず本当の、これしか〈今〉はない、という形で存在するんですよね、本当にね。それでもちょっと前の〈今〉は、本当はもう〈今〉じゃないんですよ。

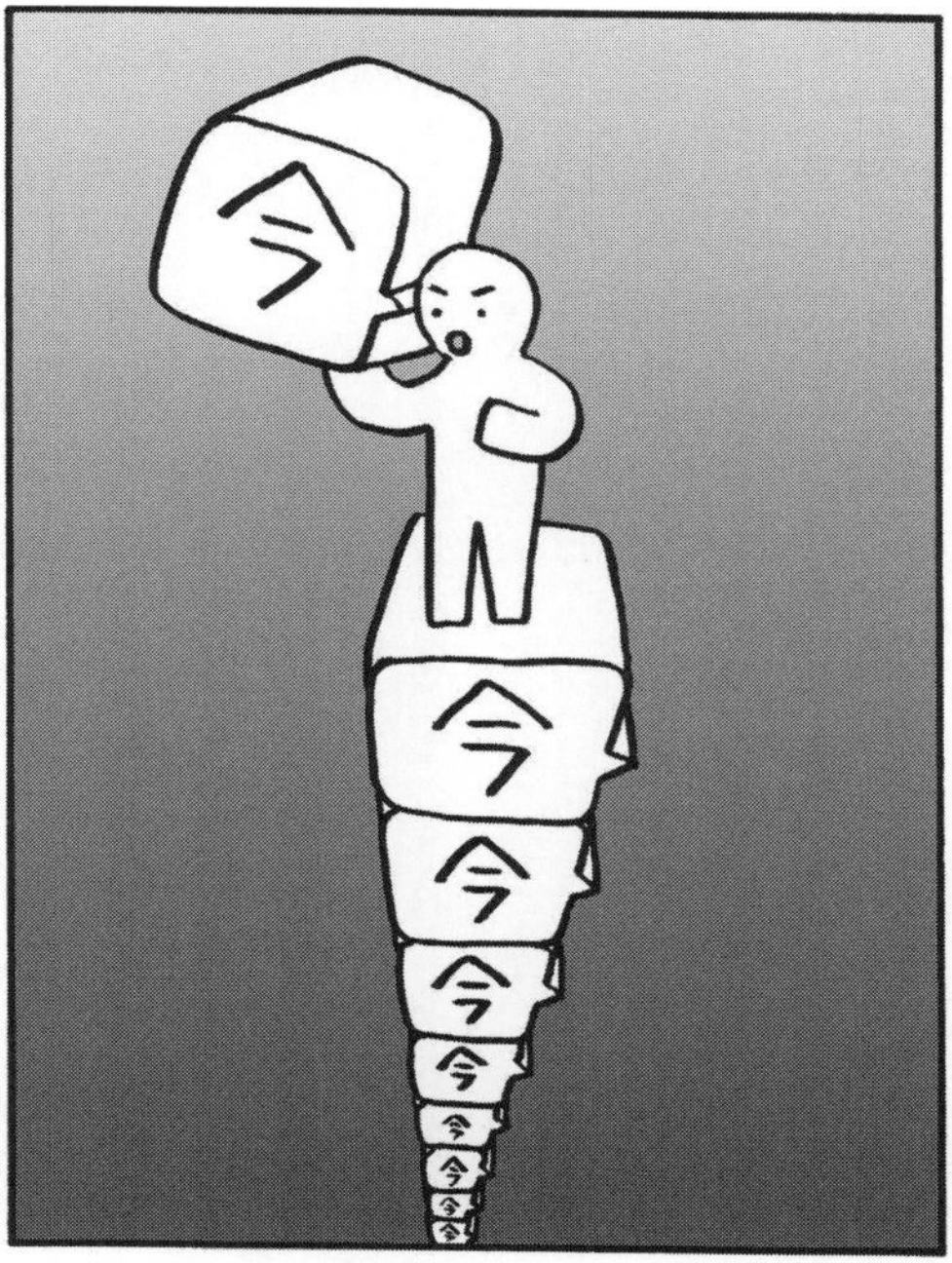

森岡　「本当」って言わなきゃいけないというわけですね。

永井　ちょっと前やちょっと先にも〈今〉はあったし来るに決まっているんだけど、それらは〈今〉じゃなくて、これが〈今〉ですよね。これはだから本当の〈今〉だっていうことは、事実なんですよね。この〈今〉こそが本物の〈今〉だってのは事実なんだけど、そのことを他の「今」に対して語るとか主張するとかすると、それは意味のない主張になるんですね。これは独我論の問題と同じで、その事実は存在するけれども、存在して間違っているわけじゃないけれども、それを言った時には、その言った時や言った人以外の誰からも賛成されない、ということになりますね。言葉で言った時点で意味がなくなっているとも言えるんですね。言わんとしたことは決して言えないというふうにできているとも言えます。

独我論と独今論の違い

森岡　ということですよね。そのことははっきりしていますね。独我論と独今論は多分同じものを共有しているんだけど、違いも何かあるのかなとも思っていて。例えば独我論の場合は、私が「独在的存在者は私ですよ」と言ったら永井さんは「違いますよ」と言うことになりそうですが、独今論については「〈今〉だけが今ですよね」と私が言ったら、永井さんは「うん」と言いますでしょ。

永井　うん、一緒にね。

森岡　一緒にね。つまりここが違うじゃないですか、全然。

永井　うん、そこが違いますね。

森岡　なぜ、こうした違いが起きるんでしょうか。

永井　〈今〉に関してはみんなが一緒にいるわけですよね。みんなが一緒にこの〈今〉を共有しているわけですね。〈今〉に関してはみんなが共時的に共有している、〈私〉に関しては共時的には共有していないわけだけど、通時的にはやはりみんなで共有してますね、記憶を通じてだけれども。そのことを〈今〉の方の問題について言うと、共有していない、〈私〉の場合の他人にあたるのは誰かと言うと、違う時点にいるやつが共有していないわけですよね。違う時点にいるやつというのは自分でもいいんですね、異時点にいる自分でも。だからさっきのプリントアウトしたやつを読んだ時に、「いやいや、〈今〉じゃない」と言って食い違うというのが、他人と自分の間で食い違うのにあたることですね、〈私〉の場合で言えば。つまりどこが食い違ってどこが賛成し合うかが違っていて、〈私〉の場合に賛成するのは諸々の時点の自分自身が賛成し合うから、自分の中で独我論を何回反復しても構わないわけです。時間が経過しても同じ独我論を反復できるわけですね。でも独今論の方は逆に空間的に人々の間で反復されるわけです。

森岡　そうなっていますよね。だからそこを逆に考えられませんか。つまり、これは感覚的なんで言いにくいんだけれども、複数人で共有できるという場面で語れるものこそが時間であり、そこから時間というものが立ち上がってくるのであって、駄目という方から人称の違いとか、空間というものが立ち上がってくるみたいなふうに、逆に考えられませんか。

永井　駄目っていう方から……？

森岡　駄目っていうか、何と言えばいいか……。

永井　何が駄目なんですか。

森岡　つまり独在性のあり方について、私とあなたで意見が対立するような側面のことを我々は「人称」と言っており、対立しないものを我々は「時制」と言っているんじゃないのか、というふうに発想できないですか？

永井　でもそれ、逆も言えるでしょう。今度は時制の側から言うと、そのことがちょうど逆になって。

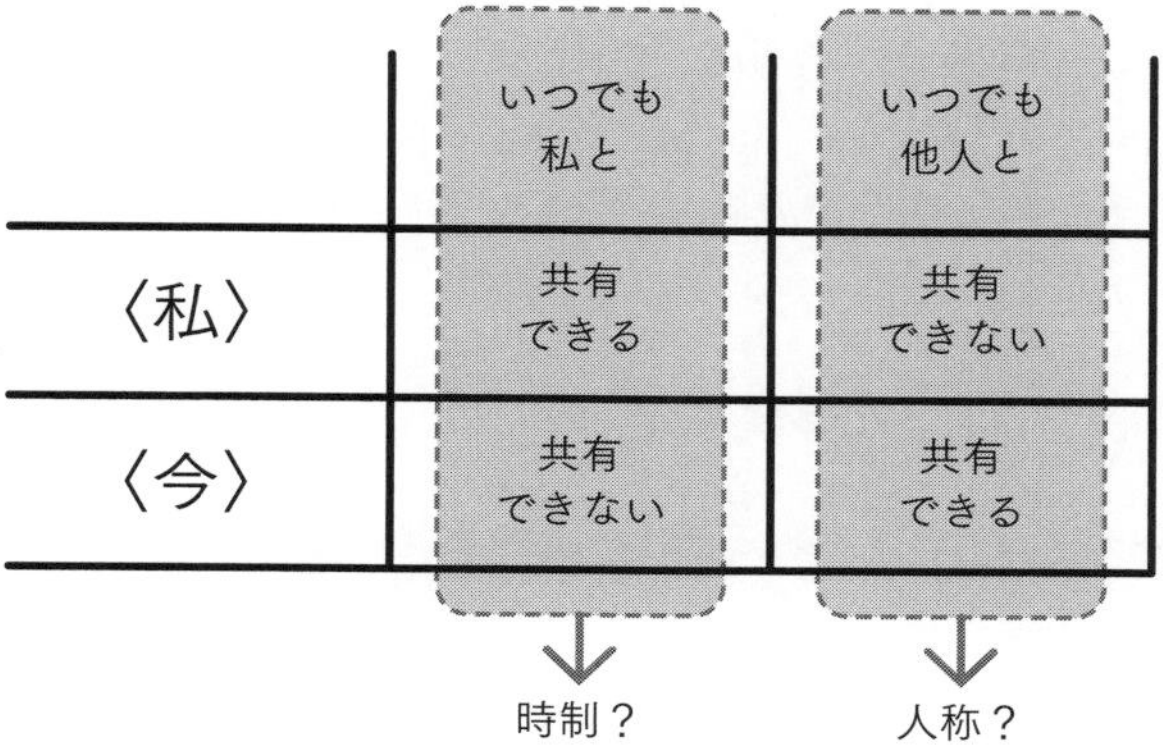

森岡　そう。つまり人称の場合は私とあなたは切れているから〈私〉を共有できませんよね。でも時間の場合は今を共有していて、時間は同時に経っていくから、（共有できる人が）常にいる。だけど、過去の、昔の存在とは今を共有できませんよね。つまり独在性が共有できるのが時間の場合で、共有できないのが人称の場合だ、という構成になっているような気がするのですけど……。

永井　共有できるのが時間の場合？

森岡　そう、共有できる。だって「〈今〉ですよね」と言うと「うん」と言いますでしょ。

永井　いや、でもそれは「〈私〉ですよね」と言うと私の中でいつでも「うん」と言えるのと同じで。

森岡　でも私（森岡）はいつでもそれを否定できるから。

永井　いやいや、私の中でいつでも肯定されるということが、みんなで「これが〈今〉だ」というふうに公共的に、共通に肯定できることに対応しているわけですね。だから〈私〉の中でいつでも「これが〈私〉だ」と。「これ、〈私〉しかいない」とか、「これ、〈私〉は特殊なものだ」ということを私の中でいつでも肯定できるということが、独今論の場合のみんなで〈今〉を共有していることに対応しているわけだから、形式的には完全にぴったり同じことじゃないですか。

森岡　同じだけど向きが違うわけですね。

永井　向きが違いますね。向きっていうか異同を分ける観点が違いますね。交差していますよね。

森岡　うん、交差してますでしょ。だからその時に座標軸を先に考えると言えばいいんですかね。

永井　ああ、どっちが出発点であるかってことですね。

森岡　出発点を考えた時に、座標軸があとから生成されるというふうには考えられませんかね。つまり時間には不可逆性[*12]があると我々は思っている。

永井　ああ、なるほど。

森岡　だから「自我」や「他我」などの人称の場合は、不可逆性って考えにくい、時間と同じようには考えられない。

永井　なるほど、やりとりができるから。

◎ **時制？**

不可逆性をもつ
〈私〉は共有できるが
〈今〉は共有できない

◎ **人称？**

不可逆性をもたない
〈今〉は共有できるが
〈私〉は共有できない

森岡　できるから。つまり独在性に関して、不可逆性がないものを我々は人称という軸として立ち上げて、あるいはその軸がおのずと立ち上がってきて、不可逆性のあるものがおのずと時制として立ち上がってくるみたいになっているという形而上学はありえませんか。

永井　ああ、なるほど。不可逆性がないものが人称……。でもそうかな。

森岡　いや、わからないけれど。

永井　それはそうも言えるかもしれないけれど、むしろ不可逆性があるかどうかはたまたまのことで、時制と人称の対比の中ではそれは本質ではなくて一部の性質なのじゃないかという感じの方が僕は強いですけどね。

時制との違いっていうことについて言うと、やっぱり〈今〉っていうのは動くじゃないですか。こういう年表みたいなものを先立てて考えると、〈今〉というのが明治時代から、江戸時代・明治時代・昭和とずっと動いていって、今はこのへん、平成に来てまたずっと動いていくっていう。こういう「動く〈今〉」っていう捉え方がありますよね。「動く〈今〉」があって、それが今、ここに来ているという〈今〉の二重構造があるんですよね。動いている方が〈今〉なのに、今はその〈今〉がどこにいるかっていうと、ここにあるっていう。じゃあ「今はここにある」っていう方の〈今〉と、動いている〈今〉とがどういう関係にあるかっていう、そういう問題が〈今〉ってものにはあるけど、それに対応する動的な問題は〈私〉の方にはないんですよね。

〈今〉の動性っていうのは非常に特殊なもので、〈今〉とか〈現在〉という問題の方が、〈私〉の問題よりレベルが高いというか、複雑さが上ですね。なぜか動いていて、動いているものも必ず「今が動いている」っていうふうに表象しないと理解できないから、動くにもかかわらず本物の〈今〉なんですよね。他者の〈私〉と違うんですよ。他者の〈私〉よりは、もっと身近な本物の〈今〉なんですけど、だけど〈今〉はここにあるこの〈今〉、ここに来ている、ちょうどこの今、ここにある〈今〉しか本物の〈今〉じゃない、とも言えますから、両方とも認めざるをえないですよね。〈今〉と〈私〉の違いを象徴する問題は、「動く〈今〉」と現実のこの〈今〉を対比するだけじゃなくて、この動いている〈今〉全体を現実の〈今〉と考えると、その

動く〈今〉以外の別の動く今を考えて、どの時点をとってもそれ以外のところが〈今〉である可能性ということを考えることができますから、そうすると〈今〉の方が〈私〉よりも構造が複雑になっていて、違いが実は単純じゃない、ということなんですよね。構造が二重になっているんですよ。

〈私〉は動かないから、「なんでコイツが〈私〉であるのか」というような問題が立てられるけど、つまり「永井均っていうこの人がなんで〈私〉なんだろう？」という問題を安定して立てられるんだけど、「〈今〉はなんでここなんだ？」とか言う時に「ここ」っていう中身そのものがどんどん移っていっちゃうから、問題立てにくいですよ。〈今〉の場合は、「なんでコイツが」って言った時に、「コイツ」の中身がどんどん動いちゃうから、〈今〉の場合は「なんでこの中身が〈今〉なのか」と言いたくても、〈今〉の方は動いちゃっているから、中身なんかないとも言えるんですね。
独今論ってのはむしろ理解しにくいですね。だから独今論に対応する現在主義っていう立場が現代の分析哲学の中でありますけれども、現在主義ってのは独今論とは違って、どの時点をとってもそれが現在である時があって、それだけが存在するものだというような考え方で、最初から動いていることが前提となっているんですね。その考え方も十分ありえるような構造になっていますよね。

森岡 そうですね。それがまさに独今論や時間論のすごく面白くて難しいところであり、それがまさに人称論と違う点ですよね。ところで、独今論の場合、「これこそが本当の〈今〉だ」ってプリントアウトされた文章の方が、それを読んでいる私たちを否定するってことないじゃないですか。

永井 そうですね。

森岡 だから、独我論者が二人いた場合、お互いに相手を否定しあうことはありえるけど、独今論の場合、そこも違いますよね。

永井 文章の側が否定するってことはないともいえますね。でも、否定するということがないと言えば、他人も自分を否定しないとも言えますよ。つまりね、森岡さんが独我論者でね、僕も独我論で対立をしてもね、「でも正しいのは僕だ」というふうに僕が思い続ければいいわけで、否定できる他人なんていない。否定する他人がいるということを言うのであれば、書かれたものだって十分否定している、今読む自分を否定している、とも言えるんじゃないかな……。

森岡　そうですか？　言えますか？

永井　言えない？　だって書かれたやつだってさ、「これが唯一の〈今〉である。本物の〈今〉だ」というふうに書いた文は、それを読む方の「今、これが〈今〉である」ということをその文章自体が否定していませんか。

森岡　していないんじゃないですか。

永井　そう？

森岡　文章自体に否定する力ってありますかね。

永井　あると思いますけれどもね。

森岡　ありますか？

永井　〈今〉と言っている以上は。文章の否定する力と他者の否定する力はそんなに違わないと思うけど。

森岡　文章の否定する力っていうのは……。

永井　つまり過去の人とかそういうことですよね。

森岡　いやいや……。これ、結構面白い話題だと思いますね。例えばそこに標識があって「止まれ」って書いてある時、私たちは止まるでしょ。それはある意味で、標識の文章が歩行したい私を否定することに成功しているとは言えるけれども、それは文章内在的な力によるのではなくて、文章が社会の中に置かれていて、その網の目みたいなものに我々は絡め取られているから、その網の目の力で私は止まっているんですよね。だけど、プリントアウトした文章を読んでみたら「これこそが本当の〈今〉だ。これ以外に〈今〉って言っているのは全部嘘だ」って書いてあったとします。それを私が読んで、「いや、読んでいるこっちが〈今〉なんだけど」と思った時に、文章は私を否定したことになりますか？

永井　なると思いますよ。でも、絶対負けないけどね（笑）。でも負けないのは別に他者の場合も同じで、絶対負けないけど否定はされている。他者の場合も時間の場合も、絶対に負けないのは、論争に負けないいんじゃないですよね。論争したら負けるかもしれないけど、いくら負けても実は絶対に負けないいんですね（笑）。本当はこっちだというのは、絶対否定されないから、そういう意味で負けないいんで。議論としてはまったく対等なんですけどね。

森岡　それを「議論」と言いますか？

永井　議論として対等なのは結局、時間の場合はここが本当の〈今〉だとしても、議論がもし成り立つとすれば、対立の外からじゃなきゃ駄目ですね。森岡－永井論争だったら、こっち側から別の人が見てどっちもどっちだとか言うのと同じように、時間の場合だと時間の外から、あるいはその二つの時点とは違うどこか遠い未来とかね、遠い未来の人がこの二時点間の論争を見るとか、そういうふうに見ないと。そういうふうに見れば議論が成り立ちうるんじゃない？過去と未来だけだと後から来た未来の方が有利だけど、また出てくればいいんですよ（笑）。

森岡　また出てくる（笑）。

永井　いやいや、奇数日と偶数日の争いとかね（笑）。そういう形とかでもいいけど……。

森岡　あれですか、プリンターからプリントアウトがビーッって出てきて、それを私が読んで「何だよお前、違うよ」って言ったら、そのあとでプリンターから自動的に次のがビビビビッて出てきて「それは違う」と書いてあるとか（笑）。

永井　（笑）いやいや、だから前のやつを擁護することはもうできないんですよね。異時点に味方とか仲間とかを作ることは決してできない。一回一回しか擁護できないんですね。味方は原則的に同時点にしかいない。そしてこの二者の対立に対して第三者がどちらかの味方になるということも不可能で、必ず公正な第三者となってまったく対等だと見ることになるわけです。

＊12　元に戻らない性質のこと。

「対話とは何か」を問いなおす

森岡　いや、永井さんが本当にその立場に立つんだとしたら私側にとってはそれは嬉しい話で、なぜかって言うと、「対話とは何か」とかいうことが問い直されていく可能性があるからですね。だって対話ってのいうのは、こちらに何か対話する主体があって、あちらさん側にも何か主体があって、この二つの主体が理性みたいなものを使いながらやっていくのが対話だ、と。このモデルから外れるのは対話じゃないっていうふうに考える人は多いと思いますが、それを否定する可能性のある理論になるんですよ。私も実は全然別のフィールドでそういうことは考えていて、生命倫理で脳死の問題とかやっているじゃないですか。すると脳死の人との対話みたいな話って実際出てくるわけですよ。でもあれは哲学的にどういうことか。脳の中は理性も何もない。これを理論化するのはなかなか難しくて、でも私は何とかしたいと思っているんだけど、その話とどっかで絡む話になりそうで、私にとっては嬉しい話です。紙に書かれた文章のどこを見ても、脳も理性も何もない。だけど否定ということが文章の側で起きるということは言えるのですね?

永井　そうだと思いますよ。言えるんじゃないですか。結局言葉ですからね。言葉の力は書かれたものにも同じようにある。

森岡　と、考えるとそれはまさに言霊論《ことだまろん》[*13]みたいな話に接続してきますでしょ。

永井　そうも言えますね。

森岡　だからそこは……。

永井　この話、僕の話は結局ね、独在的なものと言葉との対立関係でできているから、そこで実は、心とか人間の主体とかいう話は本当はあんまり出てこないんですよ、本質的には。独在的なものはまったく独在的だから、その本質は心でも意識でも何でもないんですね。何かそういう単独で唯一のものなんですね。言語っていうのはそういう構造を普遍化して一般化したものので、この対立図式なので、そこで主体が何であるとかね、実はロボットであるかゾンビであるとか、そういう問題は本質的には出てこないんです。

森岡　でも掘ると出てくるかも。

永井　むしろ出発点がこっちにあって、こういう出発点なので、普通の人がよく問題にするような「人間とロボットやゾンビとはどう違うか」とか、そういう話はあんまり大した話じゃないようにできているんです、構造的に。

森岡　いや、それはそうかなあ。そうでないような気がして。ほんとうはそこへもつながっているんだけど、永井さんの思考がそっちへあんまり何か向かわないということでは。

永井　そうですね。つながるんだけど逆方向につなげたいんですよね。こっちの独在性の側からつなげたい。つなげる場合はね。

＊13　「広義には、人間の言語に霊力が備わるものとし、発話によってものごとの実現をみるような、言語に対する神秘的な観点を言う」廣松渉編『哲学・思想辞典』(岩波書店、一九九八年)五三八頁。

独在性と口

森岡　次の話題に移りたいと思います。永井さんは『哲学の密かな闘い』の六七頁と二一三頁で「口」という話をしています。これは結構面白い話で、独在性そのものの話題ではないと思うのですが、私なりに要約すると、例えば私が「ワタシ」と言った時に、私の口がビヨーンって動きますよね。だからそれを見た人は、「ああ、そのワタシって言った人が、その口がついている身体について何か喋ったんだ」というふうに理解する。ある人が「痛い」と言ったら、その口がついている身体について何かが言われたのだというふうにスムーズに理解するような感じで我々は言語ゲームをやっているだろうと。しかし、だからがゆえに、今問題となっている本当の独我論的な問題がその中で消え失せていって、すごく見えにくくなるような構造になっているんだろう、というようなことを永井さんは仰っています。

永井さんは面白いシチュエーションを書かれています。それはどういうのかというと、「すべての人の声が一つのスピーカーから発せられるような世界ではこの通常の意味での「私」は機能しない」のである、と。これは、すごく想像力を刺激されました。例えばこの部屋にいっぱい人がいますよね。そしてスピーカーがここに一個ありますね、そのスピーカーからだけ声が聞こえる。永井さんが喋ってもそこからだけ声が聞こえて、永井さんの口を見ると口は動いていないんですよ。私の口も動いていなくて。腹話術みたいなものです。みなさんが喋る時もそのスピーカーから声が出て、声の質とかは全部同じだと仮定しないといけないし、あと多分固有名詞も禁じられていないといけないと思います。そういう状況で何が起きるのかをちょっと考えてみたんですが、世界に二人だけだったら、これはあんまり面白い話にならなくて……。

永井　そうですね、二人だけだったらそうですね。

森岡　世界に二人だけだったら、自分が喋ってなかったら、相手だってすぐわかっちゃうから。三人以上になった場合に何が起きるのかですね。例えば「私は痛い！」という声がスピーカーから聞こえた時に、我々は何を理解するかというと、「誰かが痛い」と理解するんだと思います。「私は痛い！　助けてくれ！」みたいな声がスピーカーから聞こえて、でもみんなを見回しても誰も口をつぐんでいる。でも誰かが発したに違いない。そのような状況で発せられる「ワタシ」というのは「誰か」という以上の意味は多分もちえなくて、だからそういう世界では、自分の身に起きたことを言おうとしても、それは常に誰かのこととして読み替えられていくっていう気がしたんですよ。そういう世界に生きるのはどういう感じなんだろうって想像して、ゾクゾクしたんです。まずこれについて永井さん、どう思われますか。

永井　本当に地球全体がそうだったら、駄目でしょうね（笑）。「誰か」っていうの、何の情報も与えないから。誰かが痛いのは当たり前で。小さい世界なら、数十人ぐらいなら、誰かにこういうことが起こっているということがわかると、それで何か対処するという共同体みたいなものなら可能ですよね。だけどでっかいと、何億人もいるものの中である一人がどういう状態かということ、そういう一般情報を与えることは何の役割も果たさないでしょうね、恐らく。

森岡　でしょうね。でね、さらに思ったのは、その世界は、私のお腹が痛くなって、「お

腹痛い！」と言った時に、誰もが、「あ、誰かが痛いんだ」としてしか反応してくれない世界なんです。すごい世界でしょ。私の叫びはそのスピーカーから出ているのに。こういう世界で独在性というものは語れるのでしょうか？

永井　これはだから、むしろ語れるんですよね。語れるっていうのは読み換えのシステムがないから……。独在性はね、我々のこの世界では語れないわけですよね。今の口があるやつでは。この口で言ったことはこの口のついている人が言っていることだというふうに読み換えられるから。事実としていつも私は永井均ですから、普通の話はそれで上手くできるようになっている。つまり私は、自分が誰であるかを知らなくても「私は体中が痛い！」とか言ったら、この口が動いてくれますし、そこから声が出るから、誰が痛いのかわかってもらえるんですね。私はわかっている必要はないんですよね。私は「世界が痛い」と思っていてもいいんですよ。「世界には痛みがある」とか「世界が痛みで充満している」とか思っていてもよくて、世界の中の誰であるかっていうことを知っている必要はなくて、とにかく「痛みがある」と、それだけでいい。むしろ、それだけでないとわからない。するとみんなの中でそのどれであるかがわかってもらえるシステムが働いて、例えば何か対処してくれたりするっていう形になっていて、これ、つながりが上手くできているわけです。そうなってない場合にはむしろ、独在的なものだけがクローズアップされる。みんなにとっては何でもなくなるかもしれないけれど、私自身にとっては、特定の人とつながれませんから、むしろ現に痛みがあるということだけが、痛みの存在だけがクローズアップされるわけですよね。そうすると独在的世界にむしろなると。独在性を語れるかと言ったらどちらでも語れないから同じなんだけど、読み換えのシステムが働かないことによって純化されるってことですね。

森岡 なるほど。つまり読み換えのシステムが上手く働いてくれないがゆえに、私が、あるいは世界がこんなに痛いにも関わらず、それに対応する動作を誰もしてくれない、みたいな形で際立つという感じですかね。

永井 そうそう。むしろその方が本来の独在的なあり方で、特定の人と結びつかないということですよね。特定の人と結びついていること自体が偶然的な事実だと考えられますから、そうするとその結びつきはない場合も考えられますよね。スピーカーの話が出たけれど、誰の口から出るか任意で、喋ろうとするとどの口から言葉が出るかわからないとかね。大事なことは、自分はわかっている必要はないってことなんですよね。私はどれが私かわかっていなくて、むしろまったく独在的にとにかくこういう思いがあるということをただ口から叫んでいいわけですよ。だけど、いっぱいいる中からアイデンティフィケーションをみんなが勝手にやってくれるようにできているんですよ、上手くね。これがあることによって「私」という人称《パーソン》っていうものが成り立っているわけで。まずはこのつながりによって成り立っているんですね。両方必要なわけでね。独在性がなければ何もないのと同じですが、独在性だけじゃ「私」という言葉も成立不可能で。それが読み換えられて特定の人物に帰属させられるということが自然にできるっていうシステムが不可欠なんですね。「私です」ってこう、手を挙げなくても。手を挙げる代わりがこの口の動きとかで、そういう自然な結合によって独在性は自ずとみんなの世界とつながるんですよね。

「翔太が〈私〉である」は理解可能か

森岡　残り時間がなくなってきました。もう一つだけ聞きたいことがあったのでそっちに移らせてもらいます。それは、「誰かが〈私〉である」ということについて永井さんが議論をしている箇所で、そこをちょっと読みます。『哲学の密かな闘い』の八〇頁のところで、翔太くんという名前の男の子の話が出てきて、「この世界は、もともと翔太の目から見えている世界で、ただひとり翔太の体が殴られた時だけ本当に痛く、現実に動かせる体は翔太の体ひとつしかない、というような世界なのです」、そういう世界があるとします。「これを、翔太が〈私〉である世界と表記しましょう」と。

七五頁には、似たようなことですけれど、このように書かれています。「現実に《私》である人物が《私》でなく、他の人物が《私》であることは可能である。（中略）そのことから、現に《私》である人物の《私》性だけが抜ける（黒塗りが白塗りに変わる）ということが思考可能である。私はこの原稿を書きながら、私でなくなる。そして永井氏はこの原稿を書き続ける。もちろん、彼が意識を失ったわけでも自己意識をなくしたわけでもない」という文章があります。

ここで私が問題にしたいのは二つあって、一つは翔太くんという人が森岡でも永井でもない、どこかにいるとした時に、「翔太が独在的な意味での〈私〉であると仮定しましょう」という仮定ができるのかというのが最初の問題です。もう一つは、森岡が〈私〉だとして、その森岡が喋っているうちに〈私〉という性質だけが森岡から引き算されて消去されたという状況を考えてみよう、と永井さんは言っている。その時、森岡は〈私〉ではなくなったけれども喋り続けているということは想定可能であろうというわけで、私はここにすごく引っかかっています。これが第二の問題。というのも、最初の「翔太が〈私〉である世界を仮定してみよう」という時に、私はこの仮定は成立しないと思うんですよね。

なぜかっていうのは、感覚的な言い方しか今はできませんけど、おそらく、三つぐらいの水準を我々は区別するべきです。一つは「現実」の水準で、つまり「〈私〉が「これ」である」という水準がありますよね。「〈私〉が森岡である」

と言ってもいいけど、もっとちゃんと言うならば「〈私〉がこれ」であると。二番目の水準として「〈私〉が翔太である」という水準がある。そして三番目の水準として「翔太が〈私〉である」という水準がある。この三つが考えられて、この三つはずいぶん違うことのような気がするんですね。

どう違うのかというと、「〈私〉が「これ」である」というのは現実としか言いようがないものです。二番目の「〈私〉が翔太である」というのは、これはある種の可能世界であって、反事実的なことを私が言っているんです。その時に何が反事実的になっているかというと、「翔太」というところが反事実的になっている。「これ」は森岡でなくて翔太だというわけで、これは思考可能だと思うんですよね。ところが三番目の「翔太が〈私〉である」と言う時に何が反事実的になっているかというと、〈私〉が反事実的になっているとしか思えなくて、これ、私は無理なんじゃないかと思います。つまり〈私〉は決して反事実的にはなれないというふうに直観的に思うんですよね。

永井　「翔太が〈私〉だ」と思った瞬間に、その中に「森岡」が入っちゃうって意味ですか？

森岡　いや、翔太が〈私〉である瞬間ってのはこない。ありえない。

永井　こないというのは、考えている今、想定ですよね。想定しようとしてみた時に……。

森岡　正しい想定ができない。

永井　だから森岡さんというか「森岡」の中身がそこに入っちゃうから想定できないって意味？　そうじゃない？

森岡　いや、そうじゃなくて、そこを精密に言おうとするとすごく難しいので、私、今朝から苦しんでいます。そういうことではなく、〈私〉は徹底的に反事実的になることを拒むものじゃないかということです。

永井　なるほど。現実性だから。

森岡　だけど「〈私〉が翔太である」というのはありえて、「～である」という述語の方がどんどん変わっていくのはかまわないんですよ。述語は反事実的に想定してもかまわないんだけれども、永井さんの元の文章では「翔太が〈私〉である世界」ってふうにおっしゃっている。述語に〈私〉がくるっていうのは……。

永井　実は〈私〉っていうのは一つの概念なんですよね。現実じゃなくてね。山括弧は現実性をすでに概念化して捉えています。どういうことかと言うと、要するに、これって言葉で言えて、つまり「その目から現実に世界が見えている唯一の主体」とかね、他の目は、実際には他人もみな目から世界が見えているんだけど、現実に世界が見えており、それから、殴られると現実に痛い、頭をみんな殴っていくと一人だけ本当に痛いやつがいるわけですよね。現実に痛くて、目から世界が見えていて、それで体もその右手を動かそうと思うと動かせるというようなものが集まったっていう形で、他のいろんなものを集めてもいいんですけれども、そういうふうにいわば言語的定義がなされうるわけです。それを今は翔太という人、いない人ですけどね、が持っているというふうに想定するっていうのは、これは言語的な話で、概念的に理解が可能な話なんですね。

実際にそうであるという話とは違うんですね。このね、〈私〉の話というのは、みんなに伝わるときには、今言った定義のような形で伝わるんですけど、実際上その定義ってのは最終的には効いていないんですよね。なぜかって言うと、こうやってここにみんないっぱいいますけど、この中で確かに、ある一人の人の目からしか世界は見えていないんですね。隣の人の目から世界が見えていないのは、ある意味ではやはり不思議なことです。隣の人だって別に脳とか視神経とかみんなちゃんとあって同じなのに、なんでそれは見えないのかと。なんで見えるやつが一人だけいるのかっていう問題。なんでこいつの目だけ本当に現実に見えているのかっていう問題があって、山括弧とか独在性っていう問題が確かに間違いなくあるんだけど。ところが不思議なことにね、この議論はみんなに言えるわけですよね。みんなに言えるってことはみんながその山括弧性を使って自分を識別しているということですね。みんなが使っているって次元で考えると、これは一つの概念であって、不思議なことなんですけど、独在性に客観性があるんでよすね。

客観性というか、公共性というか、みんなに通じる意味があるわけですね。通じる意味があるんだけど、通じる意味があるにも関わらず、不思議なことにね、それを使って自分だけを識別していることは事実ですよね。事実、「この中で誰が、どれが私であろうか」というふうに考えた時に、それは迷うことはなくて、「現に見えている目」とか、「現に殴られると痛い」とか、「現に感じているやつ」って一人しかいなくて、他のものは全然感じないんだからすっきりわかるわけですけど。その定義で十分識別できるわけだけれども、しかし他の人もその定義を使って同じことをやっているわけですよね。他の人もそれを使っているんだけど、他の人たちのと自分のとは違うっていう水準で初めて本当の独在性が起こるわけです。この「翔太が〈私〉である」という場合は、ただ世界ってものを単純に想定して、その中で翔太という人がそういう状態にあるということを概念的に想定しているだけです。概念上そういうやつが一人いる、そういう唯一の感じている主体が、その目から世界が見えている唯一の主体、そこから世界が開けている唯一の主体が翔太という人であるようなそういう世界を想定しましょうって言っているだけなんですね。

これは、ただね、今度は一種の逆の不思議さがあって、こういうことが何で伝わるのかっていう問題がある。だって独在性って本当は自分の問題としてしか伝わらないはずで、「自分がある」ということにおいてだけ理解できるわけですよね。もっとはっきり言えば「自分」なんて言ってもまずいんであって、「私」だけですよね。「翔太っていう人がそういうあり方をしている世界を考えてみましょう」なんて言われたって、何が言われているかわかんなくても不思議じゃないんですけど、何かこれでも話が伝わるようになっていっていて、むしろこういう形式化が可能な形でしか「自分がある」ということの意味自体が理解できないように出来ているんですよね。

森岡　今の説明それ自体の内容は私なりに理解できるんだけども、でもやっぱりいま問題になっている点について私はまだ永井さんの今の説明では全然説得されてなくて、「〈私〉っていうのは概念だ」というのはその通りなんだけれど、ポイントはそこじゃない。聞いていて思ったのは、「翔太が〈私〉である世界」ですよね。「である」のところがポイントですね。その「である」とはどういうことかってのが、多分正しく説明できないはずだって私は思うんですよ。つまり「〈私〉が翔太である」の時の「である」は私は正しく説明できるけど、「翔太が〈私〉

である」の「である」は無理じゃないかと直観的に思わざるをえなくて、その部分は今のご説明だとまだ全然説得されていない感じがしますね。なぜかわからないけど。

永井　なぜかわからないけど？

森岡　わかんない。ということと、もう一つは、〈私〉という概念と、独在性っていう概念はまた別ですよね。

永井　はいはい。「性」だからね。

森岡　「性」だから。〈私〉という概念によっては、独在性ってものが上手く指し示されていないことになっちゃうんじゃないか、ということかも知れないし、ここはもうちょっと私が論理をクリアにして攻めないと永井さんに届かないような気もするけど、何かここにはすごく大きな問いがあるような気が私はしています。実はこれは、永井さんの初期に書かれたものを読んでいた時にも感じたことなんですよ。つまり永井さんは、初期の頃、独在性の〈私〉の話をしているはずなのに、それが別の身体から開かれていっていると仮定しよう、みたいなことをよく言っていたように思うのですが、私はやっぱりそこにすごく引っかかるものがあって。つまり、そういうことが、言語として言えちゃうことと、普遍化できないはずの独在性が言語で伝わってしまうということは、つながっているけど同一ではない気がする。

永井　あと、別の問題が、それとつながった問題がありますね。〈今〉は動くじゃないですか。それで〈今〉っていうのは独在的なもので、独在的なものなのに、本当に動きますよね。さっきの時点の〈今〉は、〈今〉性だけを失いますよね、実際にね。〈今〉性だけ失って、中身はまったく同じなまま過去になりますよね。この状態もそうなりますよね。この状態は〈今〉なんだけど、本当に現実的に〈今〉で、もうこれは疑う余地がないんだけど、これが〈今〉じゃなくなる。すぐどんどん〈今〉じゃなくなって過去になっていくわけだけど、〈今〉じゃなくなって過去になった時にも起っていたことの中身はまったく変わらないで、〈今〉性だけを失うんですよね。これって時間においては実際に起こるんですよね。それで、これが考えられるっていうことは、〈私〉においても同じ形式のことが考えられるってことなんですよね。

森岡　だけど〈今〉の場合はあれでしょ、昔からの議論にあるように〈今〉性を失うと同時に、保持される〈今〉性ってのもまたある、みたいなふうに大体考えるじゃないですか。

永井　うん、まあ、とは言っても、もっと時間が立てば完全に失いますよ。

森岡　失われるけど、失われない〈今〉は〈今〉であり続ける、現実の〈今〉は〈今〉であり続けるっていう二重性が。

永井　いや、だからそれは、〈今〉ってもの自体は失われないけれども、その中身、その出来事、その時点と〈今〉の結びつきっていうのは完全に離れていって、くっついていると言ってもくっつき方が違うわけですね。

森岡　別の〈今〉がくっつくみたいな？

永井　本当は、〈今〉っていうのは主体じゃないですか。そこから見えているわけですね。〈今〉からね。それがちょっと離れるとそれが客体化、対象化されて、その〈今〉はもうすでに思い出されるものになっていくわけで、瞬間瞬間にそれが移動していく。〈私〉と他人の場合はそんなこと絶対起こらないんだけど、ものとの関係でも起こらないですよね。「……から」と「……を」の違いは固定している。でも〈今〉の場合にはその移動が実際に起こるわけですよね。で、そんなことが実際に起こるのは、これはこれでまた非常に不思議な話なんだけど、そういう主客の転換が次々に起こっていても連続性があるということがわかること自体が本当は不思議で、主体が根本的に変わっちゃったんだから、もう瞬間瞬間何だかわかんなくなっちゃったって不思議はないはずなんだけど、つながりがあることが必ずわかっていて、だけど本当は、主体はきれいに入れ替わっちゃっているので、ちょっと前のことはもう思い出される対象だから、対象側に移動しているわけですね。そういうことが〈今〉においては起こっている。

　さっき引用されたやつで、後半の方ね、七五頁のところで、「《私》である人物が《私》でなく、他の人物が《私》であることは可能である」と言ったあとに、「だから抜けることが可能で、《私》でなくなることも可能だ」[*14]って言ってるじゃないですか。これは、僕はちょっと、自分で書いているけれど、ちょっとおかしいっていうか、おかしくはないんだけど、もっと論じるべき問題があると思っていて。「〈私〉が移動することが可能だ」って問題と「〈私〉でないことが可能だ」って問題と「〈私〉でなくなることが可能だ」って問題はそれぞれは違う問題ですね。「ないことが可能だ」という話と「なくなることができる」という話は、区別して論じなければなりませんし、「移動できる」というのはまた違う問題で、これは驚くべきことで、これが本当に起こっているってちょっと奇跡みたいなことが時間には起こっています。〈私〉の場合、それと類比したことを想定することが可能だけど、それができるんだったら、何て言うんですかね、中身のつながりみたいなので徐々に徐々に変わっていくことが考えられることになる。徐々に翔太になっていくとかね（笑）。

森岡　そう書かれていますね、この本の中で。

永井　だって〈今〉がつながっているのは、本当はやっぱり中身の出来事が意味的につながっているからですよね。「〈今〉である」ってこと自体はそういう中身のつながりとまったく関係なく独立にバシッとあって、それは奇跡のようにあるものですけど、それにも関わらずその連続性に関してはつながりがあって、そうでなければその〈今〉が連続していることにならない。だから〈私〉についても思考実験するんだったらば、本当はそこを分けないと駄目なんですね。つながりがある場合と、つながりとは関係なくバシッと存在する場合とを。つながりがあるのに存在だけしなくなるとか存在だけするようになるというのは何を想定するのか本当はよくわかんなくて。

森岡　永井さんの今おっしゃったことを、私なりに言い換えてみると、〈今〉の場合に〈今〉性ってものが消滅するってことがもしあるんだとしたら、〈私〉についても同じような意味で〈私〉性が消滅するということがあったっていいんじゃないかということですね。

永井　あったっていいとは思いますね。

森岡　ということですよね、そこを類比的に考えれば。その点はよくわかりました。時間と〈今〉については、ちょうど現在連載されているものがその話題でしたね。

永井　そうですね、はい。

森岡　またいずれ本になって出ますよね。

永井　もうすぐ出ます*15。もう来年の初め、三月ぐらいには、はい。

森岡　出ますよね。ですのでまた、永井さんがその本を出された時に、あらためてまた現代哲学ラボで、何かの形で議論したいというふうに我々は思っています。というようなあたりでもう時間が来てしまいました。

永井　ガンガン喋ったな。

森岡　（笑）じゃあ田中さんにお渡しします。

田中　ちょうど三十年前にお二人はお会いしてお話されたということで冒頭始まりましたけれど、今日のお話は忘れないで頂ければ……。

永井　もう忘れちゃった（笑）。

田中　いやいや、忘れないで頂けたらいいなと思って、端で聞いておりました。ハイスピードなトークだったかと思いますが、いかがでしたでしょうか。まだ会場ではこのあと後半、Q&Aが続きますが、公開の収録はここでお別れになります。

＊14　『哲学の密かな闘い』、七五頁。本書八三頁の引用文参照。

＊15　『存在と時間　哲学探究1』（文藝春秋）として二〇一六年三月に刊行された。

フロアからの質問

〈私〉や〈今〉を生じさせるもの

Q1　全部〈私〉だ、全部〈今〉だ、と思ってもいいはずなのに、何がきっかけになって他人なり他の〈今〉っていうのが生じてくるのでしょう。それは「言語が見せる夢」なのでしょうか。

永井　極端な言い方をするとそうも言えますよね。というのは、本当に全部〈私〉だとか全部〈今〉だ、と考えることはできますから。全部〈今〉というのは本当にできるんじゃないですか。わりあい簡単に。つまり我々は年表・カレンダーふうな時間感覚を持っているから、その時点にはその時点の〈今〉があって、次々次々やって来て、今はここにあるという見方をしていますよね。それで、だから出来事系列の全体をすごく対等に捉えますよね。その中で今はここに〈今〉ってね。でもそう捉えないで、ここからばっと見えれば、この〈今〉しかないですよね、本当に。

それで思い出す限りのことは〈今〉思い出していることだし、いろんな未来のことも全部〈今〉で、これしかなくて、これ全部ばぁっと、こういう感じですべてを捉えるっていうことはありえますね。そういう場合には、もちろん過去や未来はあるけど、それはみんな〈今〉から見たそういうもので、パノラマ状っていうか、そういうものしかないと。それぞれの今が対等に、この〈今〉と対等に存在しているっていう世界像ってのは、わりあい無理にとは言わないけど、何か構築した感じがしますよね、ある理由からね。時間に関しては、多分間違いなく構築したと思いますね。他人の場合も本質的には同じことなんだけど、他人の場合って、無理に構築したというにはちょっと、構築後の他人のリアリティは強すぎる感じがしませんか？　時間の場合はそんなリアリティはなくてもすませられそうですが。過去の〈今〉なんてあんまり大してリアリティないですけど、ないっちゃないみたいなものですけど。他者っていうのは自分と同じ種類の別のもので、本当は裏から見ると自分と同じだ、みたいなね（笑）、何かそういう印象があるのは、何でだか。でも、それに気づかないってことはなんでないんですかね。ある意味で気づかない人がいてもおかしくはないですよね。自分と他人っていうのが同じ種類のものだっていうことに。独我論の問題というのは、独我論の方が普通だと全然いえて、普通の並列的世界観のほうが変な考え方で、なんて言うかな、そっちのほうが哲学的な構築体だということになりますけど。逆に、デフォルトが独我論というか、ここから世界がこう見えているだけで、そこからいろんなものがあるだけっていう感じの人がいたとして、そうじゃなくて、他者と自分というのは同種のもので、同じ種類のもので、自分はその一例に過ぎないんだということを何とか自分の力で構築しなきゃいけないとしたら、何をやればいいのかわからないくらい、もしできなかったら超難しくないですかね。

独我論の方がむしろ簡単な話で、逆は難しい。構築力が必要で、理性っていうかな、ロゴスみたいな何らかのすごい能力を使って作り上げる話ですよね。我々はそれを作り上げたんですよね。我々、少なくとも人間はね。動物のことはわかんないけど。動物は並列的世界観はあまり作ってないような気がしますけど。まあ我々はそれを作って、それで「我々」になってそのやり方で生きているんだけど、「何のために作ったのか?」とか「どうしてそうなったのか?」ということを、まあ言えば言えますよね、それはその方が都合がいい、みたいな、社会契約みたいな話をね。言えば言えるけど、本当は何でそうなのかっていうのはわからないですよね。

もはやここから出発してしか、ここを基盤にしてしか考えられなくなっているので。

言語っていうものが何でできたのかわかんないのと同じですよね。もうできちゃっていて。論理とか理性とか言語とか、そういうのを全部一緒にギリシャ語でロゴスっていうじゃないですか、ロゴスはなぜあるのかわからないですけど、とにかくそれに従うしかない。それに従うと、我々が今持っているこの世界観になりますよ。なぜそうなっているのか不思議ですよね。脳科学的にとかも説明できない。なぜなら脳科学もそれに従ってなされるほかはないからです。

森岡　今のご質問に関連して言うと、「全部〈私〉でいいじゃないですか」「全部〈今〉でいいじゃないですか」となると、逆に〈私〉とか〈今〉ってことが言えなくなる。全部〈私〉だったら〈私〉ということを切り出せないし、全部〈今〉だったら〈今〉ということを切り出せなくなるので、たぶん言語化できなくなりますよね。実は、「〈今〉、〈私〉じゃん」と言った瞬間に〈私〉でないものが想定されており、そのうえでそれが否定されていますよね。この問題がさらに絡んでいるかなという気はします。

永井　無我っていう話もあるじゃないですか。無我論と独我論は同じか違うかという問題があって、ある意味では同じなんですね。今の森岡さんのような話をすればね。〈私〉しかいないとすると、森岡さんが言ったように、〈私〉はなくなりますから。そうすると何もない、何もないというか、世界がただあるだけなのと、開けた世界があるだけなのと、同じことになります。そういうふうに考えると無我論の方が純粋な感じで、独我論って言うと何かがすでに介在しているじゃないですか。いったん物や複数の人間がいるって言ったあとで〈私〉だけ違っていると言って、何か一段余計なステップを踏んでいる感じで。対立点を意識した不純な思想ですよね、独我論は。無我論の方が素直というか、ある種の現象的事実をそのまま語っているだけで、単純な思想だと思いますけどね。

森岡　すっきりはしてますね。

永井　すっきりはしてますね（笑）。

〈私〉と口のつながり

Q2　独在的な〈私〉の方から見てこの身体、この口が動いているということがどうしてわかるのでしょう。別の口が動いていると考えても、そのことの妥当性もあるように思います。

永井　いや、本当はどの口が動いているかわからないんじゃないですか。自分にはね。どこまでもわからないんですよね。自分が何か喋る時に、特定の人がこういう意見であるとかいう形で言うわけじゃなくて、その意見しかないという形なんですよね。それしかないものを言うわけだから、だから世界そのものと独我論とが一致していて、完全に世界そのものがそうであることを言うんだけど。言ったあとで他の人というのがいて、彼らが動く口を外から見て、コイツが自分の意見を言っているという結合を作り出して、コイツの思っていることを言ったってことにされまくる。小さい時からね。されまくるからその癖がついていて、だんだんそれに慣れてくると、「ああ、私がコイツの意見を、コイツの思っていることを言うんだ」っていうふうに最初から思うようになるかもしれないけど、本当はそれって、いつまでたってもないといえばないんじゃないですか。だから、実際に喋る時にはただ喋りますよね。喋る時だけじゃなくて思う時もする時もね。思ったことをただ喋る時には、どの口が動くかは全然意識していないし。たまたまこれが動いちゃって、これが客観的世界の中の物理的な、フィジカルなものの一つで、他の人の目から見えるものであるっていうのは、「いやぁ、上手くできているな」と驚ける、トリックみたいなもので。そのトリックがあるおかげで上手く結びつくわけだけど、全体がね。何かずる賢くできていて。それで自分が当初言おうとしたことはある意味で挫折して失われるんだけど、別の意味で生かされていくわけです。過不足なく生かされるから、誰もそのことに、問題に気づかなくて、それでいいような感じになっているんですよね、この世界って。何でこんなに上手くできているんですか。上手いっていうか、ずる賢くできているって言うんですかね。これ、不思議ですよね。

森岡　もし口がこの辺（頭の後ろ）についていたら……。

永井　見えないってことね。

森岡　はい、頭の後ろに口がついていたら、目は前だけど、そうしたら相手に向かった時に誰の口も見えないですね。そういう設定した場合、言語はどんなものとして発生するのかなと、ちょっと思いました。

永井　ああ、それは面白いね。

森岡　口が頭の後ろについている、そういう種族だとして。

永井　基本的に口の話って、いわば象徴的に口って言っているだけで、別に本当は口だけ見えているわけじゃなくて、声とかいろんなものがあって、喋る時はだいたい体を動かしたりしてわかるようにするわけですけれど、それはそれで喋っている中身とかそれと独立にどの主体が喋っているかということがわかるってことがあればいいわけですね。喋っている内容とは独立に、どの人がってことがね。その結びつきというのがどういうあり方であってもかまわないわけですよね。みんなの声が違っていれば声だけだっていいわけですよね。その場合でも、自分がどんな声かは知っている必要がなくて、でも人々はその声で識別するので、この声の人ということに結果的になる。この場合は声が体ですね。

　本当は不思議なのはやっぱり、実は体が何個もたくさんあるってのは初めからデフォルトで、世界に物体としての体がたくさんあるわけだけれども、現実には心は一個しかないっていうこの対比なんですよね。一個しか与えられたものはなくて、そこはすごい違うあり方をしているんですね。心とか意識の方は一個だけ、本物のというか現実のがあって、他のは隠されたもので、現実にはないわけですよね。体の方は、自分の体は見えるかどうかはちょっと問題がありますけれども、むしろ物体としては並び立つ、初めから並列しているわけですね。その二つの異質なあり方が

自然とつながるんですよね。口っていう象徴的な存在によってね。これはやっぱり感動的な一瞬じゃないのかな、本当は！　いや、まあいいや。それだけにしときます。

ロジックをロジックで考える

Q3　ロジックの妥当性を、ロジックで考えることは可能なのでしょうか。

永井　それは難しいですね。まあ不可能でしょうね。従っているロジックに関してはね、最終的にはね。これはウィトゲンシュタインがよく言っていることで。結局、最終的に従っているロジックについては対象化してそれについて何か語ることはできないから、それは語りえず示されるもので、それについて語ることはできなくて、その何か、論理法則とか何かに従う時に、そういう営みの中に示されているだけで、決して語りえないという段階ってのがどうしてもあるということですね。まあ「示される」ということの意味もよくわからないですけどね。

示されるって言うと、誰かが外から見てわかるような気がするけど、何でそれ、わかるんですかね。「論理形式みたいなものは語りえないけど示される」って言っているんだけど、示されるって、示されるんだったら見てわかるから語るのと同じで、示されもしないとも言えますよね。それに従っているだけであって、それに従っているものはまったく見えないっていうようにね。まったく見えないし、盲目的にそれに従っちゃっているという。それにしては何か、論理法則みたいなのがわかるのは何でですかね、矛盾律だとか何とか言ってね。あれって何なんでしょうね、むしろ矛盾律とか同一律とかあとモードゥスポネンス[*1]とか、いろんな論理法則があるじゃないですか。ああいうのって、あれは何なんだろうって（笑）。よくわかんないです。森岡さん、意見ある？　何か（笑）。

森岡　いえいえ。

永井　ほら、デカルトって、神様をものすごい強い力があると考えていて、神様は何でもできるんですよね。だから我々に急に違う論理を持たせたりすることができるみたいな考えをするんですよね。それで足し算とかも5＋3を急に100にすることは神ならできるとか何かわけのわからない……、今の例はちょっと違うけど、そういうようなことを言うわけですね。神は全能なんだから、そりゃ何でもできるっちゃできるけど、これ確かカントの反論[*2]があって、これなかなか優れた反論で、要するにそういう想定自体が我々にはできないのだと。つまり何かを想定して、これができる、これができない、というふうに言っている時の言語が、もう我々が神様から与えられたカテゴリーに従っているんだから、それに従った上でそれに逸脱するような可能性を考えようったってもうできないから、神様がそれから逸脱するようなことは、神であってもできないんだと。神ができないのは、それは無能だからじゃなくて、我々がそれを考えられないからで、我々が考えられないことを神ができるかできないかと言っても、それはそもそも我々に考えられないんだからある意味でもちろんできないんだけれど、それは我々にそれを思考する能力がそもそもないからなんだと。これってカントの方が一枚上手じゃないですか（笑）。

〈私〉は時間で変わらないのか

Q４　〈今〉は動くけれども他の人と共有できる、でも〈私〉の場合は動かないけれども共有されないという違いがありました。昨日の〈私〉と、まさに今の〈私〉と、明日の〈私〉では違わないのでしょうか。

永井　二つの山括弧、〈今〉と〈私〉は結合することはできますよね。つまりあえて分けているんですよね、むしろね。本当のところはむしろ、結合している方が自然な感じがしますよね。だから〈私〉と〈今〉が結合したものこそが最終的なアクチュアリティで、それしかないと言ってしまうのが一番すっきりしますよね。あえて分けるのは何か思考って言うか、哲学の議論のためにあえて分けてやっているわけで、生の直観《なま》から言うと一緒で、そういう世界像と、もっと客観的に、今もたくさんあるし、私もたくさんいる、っていうやつとの対比を考えるのは必要ですけど、〈今〉と〈私〉を最初から分けているというのはある意味で不自然ですよね。だからね、昨日について思い出すと、〈今〉思い出した時に、誰が〈私〉だったか、という形では思い出せますけど、それは〈今〉思い出しているだけだから、本当の昨日はどうだったかは、それはわからないともいえますよね。だから〈私〉って実は〈今〉成立したともいえますよね。〈今〉成立していて、それで記憶や何かも〈今〉与えられているだけですから、対等なものとしてどの時点にも〈私〉が継続的に存在しているというふうなあり方は本当はしていないですね。そういう意味じゃ、〈今〉に侵食されたものですよね、〈私〉は。だから〈私〉と〈今〉は合体していて、最終的には〈今私〉、〈私今〉になると思いますよ。

森岡　でもそれって、まさに、「翔太が〈私〉である」ってのは言えるけれども、意味は持たないという感じと似ている気がする。だとしたら〈現実〉も一緒ですよね。〈私今現実〉っていう一塊のものがあって、そのある側面に光を当てたら〈私〉って言えるし、別の側面に光を当てたら〈現実〉って言えるし、さらに別の側面からだと〈今〉って言える。そういう一塊のものがアクチュアルなものとしてある、と考えるのが一番きれいかと思います。ただそれらの側面にはやっぱり違いはあるのであって、一つは〈今〉とか時間に関しては「動く」みたいなやつがあって、それは多分独特だろうというのがさっきの話ですよね。

〈私〉の日本語以外での表現

Q5　日本語の〈私〉を英語に翻訳した場合、日本人が〈私〉を見た時の最初の考え方と、アメリカ人が「I《アイ》」を見た時の感じ方は同じなのでしょうか。

森岡　私にはわからないです（笑）。いやいや、永井さんの論文が英訳されているけど、こういう点についての反応ってないんですか？　英語ではどうしました？　イタリックとかにするんですか？

永井　「！」をつけたりしていますよね。

森岡　ああ、そうか。

永井　だけど「I」と「私」はある意味、全然違いますね。どう違うかというと、一つは今おっしゃったように、英語は「I」しかないですよね、一人称はね。それで我々の場合は「私」とか「俺」とか「僕」とか、もっといろいろいっぱいありますよね、いろんな、「おいら」とかそういうの全部入れていくと。それで「私」というふうに言うシチュエーションってのは決まっているから、その「私」ということにおいて第一人称以外も、いろんな要素が入っているんですよね。「私」と言うことで、「俺」とか言わないで「私」と言うことによって、何か中身が入っちゃっているというのが具合が悪いっていうのが一点ね。これはむしろ具合が悪い方なんですね。具合がいい方は、格変化から独立だってことが具合がいい方ですよね。この問題を議論するにはね。「I」っていうのは第一人称主格ですよね。主格だから「私は」なんですよね。だから「das Ich」ってあって、ほら「自我」って訳される「das Ich」とか、ラテン語の「ego」とかね、あれって一人称でかつ主格であるっていうことがポイントじゃないですか。主格であることこそが自我ってことの意味ですよね。だから主格性がない、格がない、格を除外して「私」を捉えられるというのは日本語のむしろ利点で、そうじゃないと、「私は」というふうに言っちゃうと、〈私〉がある種の主体性みたいなものを持つということを表現している言葉のように捉えられますよね、どうしても。これでは、ポイントがずれますよね。そういう問題じゃなくて、むしろ〈私〉はどちらかというと受動的な感覚や何かの方にぴったりあてはまる話なので、そういう意味では「I」はミスリーディングになるので、じゃあ何を代わりにしたらいいかというと、代わる言葉は英語にも何語にもないですよ。少なくともヨーロッパ語にはないと思いますね。「self」や何かにしちゃうと全然、概念になっちゃいますね。「自己」という概念になっちゃって、全然違う。

森岡　中国語だったら「我」って書きますが、あの「我」って、多分いけるんじゃないですか。

永井　中国語の方がいいかもしれないね。

森岡　今の面白いですね。「存在」の時に同じことをいうじゃないですか。日本語は「である」と「がある」が違うから、「がある」という「存在」の意味に焦点当てやすい。でも「be」とか「sein」はこの二つが混ざっちゃうという話で考えると、この「I」っていう話で日本人の哲学者が盛り上がっているというのは、何か言語的な理由があるのかもしれない。

永井　格とつながっちゃうともっと機能的な話しかできないですよね。どう使うかってね。「私」の存在論ってのは日本語でしかやれないんじゃない？　いい、しかってのは言い過ぎだけど。日本語とむしろ相性がいいんじゃないかと思いますよね。

＊1　論理学における論証のひとつで、前件肯定ともいう。「PならばQである。Pである。従って、Qである」の形式を取り、例えば「亀なら動物である。亀である。従って動物である」のような推論を指す。

＊2　「仮にこのような（最高）存在者に、例えば悟性があるとしよう、しかしそうしたところで私に理解できるのは、私自身の悟性と同じような悟性――換言すれば、感官によって直観がそれに与えられねばならないような悟性、そしてこれらの直観〔における多様なもの〕を意識において統一する規則〔カテゴリー〕のもとに包摂することを本分とするような悟性であって、それ以外の悟性ではない」（『プロレゴメナ』篠田英雄訳、岩波書店、一九七七年、二二〇頁。〔　〕内は引用者による）。

第Ⅲ部

言い足りなかったこと、さらなる展開

第3章

〈私〉の哲学を深掘りする

森岡正博

1 〈私〉の哲学はどのようにして始まったか

私は前章の対話で、「翔太が〈私〉である」という言い方に大きな違和感を表明した。だが、なぜそれに違和感を持つのかをクリアーに言うことができなかった。そこで本章では、この点を問題意識として脳裏に置きながら、永井均の〈私〉の哲学とは本来どのようなものであったのかを、もういちど最初から検討していくことにしたい。

永井は一九八〇年代の初頭からこのテーマで論文をいくつか発表しており、それをまとめる形で、一九八六年に著書『〈私〉のメタフィジックス』を刊行した。そしてその第1部「独我論――〈私〉のメタフィジックス」で、〈私〉の哲学の大きな輪郭が描かれている。永井がその後に展開していく議論のかなりの部分は、この第1部に萌芽的に含まれていると言ってよい。まずはここで永井が何を語っているのかを簡単に見ておこう。

永井は、他人は心のないロボットかもしれないと疑うことは可能であると言う。だとするとそれは独我論ということになるが、独我論には二種類ある。それは「〈私〉の独我論」と「「私」の独我論」の二つである。[1] 前者は〈私〉の謎を開いていく本来の独我論であり、後者はその本来の独我論を隠していくような独我論である。永井は、この二つのあいだにどのような関係が成立しているのかを解明しようとした。〈私〉の謎を開いていく独我論とは、「他人たちとはまったくそのありかたを異にするこの私が存在するという原事実」[2]を明らかにしていくような独我論である。それを隠蔽していく独我論とは、その原事実はあらゆる人に普遍的に当てはまるというふうに考えを進めていくような独我論である。[3]独我論的な思索が、〈私〉の謎を開いていく独我論から始まるにもかかわらず、その帰結として〈私〉の謎を隠蔽していく独我論へと至ってしまう。この傾向はこれまでの哲学者のほとんどに見られる現象であると永井は指摘する。なぜなら、「他人たちとはまったくそのありかたを異にするこの私が存在するという原事実」を思考し、言葉によって表現しようとしたそのときに、それはすべての人に対して等しく当てはまるようなものへと必然的に「読み換え」られてしまうからである。この「読み換え」の運動がはたらくがゆえに、独我論についての思索と表現は、〈私〉の謎を開いていくようなものから、〈私〉の謎を隠蔽していくようなものへと変質していかざるを得ない。そしてその「読み換え」の運動はいつもすでに始まっている[4]。誰もこの運動からは逃れられないのだ。

　永井によれば、デカルトの「われ思うゆえにわれあり」もまた、その罠に落ちたのだった。すべてを疑うことによって、最後に残ったのは、いま疑っている「この私」でなくてはならない。デカルトは、いったんはそのように考えたのである。しかしながらデカルトは「この私」があるという結論を、いつのまにか、誰にでも当てはまるような「私」があるという結論へと読み換えてしまった。これがデカルトの落ちた罠であり、ここには「何か不可避的な力がはたらいている」のだろうか、と永井は問うている。[5]

永井の記述をさらに見てみよう。

真に問われるべきなのは、私というものが「単数」であることと、「私が世界に一人しかいないこと」である。「いかに困難であっても、ただ一人しかいないこの私を、そして私がただ一人しかいないということの意味を問わねばならない」。永井はこれを「〈私〉への問い」と名付ける。[6]〈私〉とは、世界にただひとりしかいないこの私のことを指すのである。

永井は印象的な文章を書いているので引用する。

> 全宇宙にどれだけの数の生命、意識、自己意識、あるいは意志主体、総じて心あるものが存在するかは知らない。だが、そのうち〈私〉であるのはたったひとつである。それは、今これを書いているこの人間である。そこで次のように問わざるをえない。この人間だけがこの私であって、他の無数の自己意識をもち意志的な諸主体はこの私ではないのは、なぜなのか、と。……永井均だけがこの私と呼べる特殊なありかたをしているのは、ど

うしてなのか。[7]

永井の問題意識が見事に表現された文章である。問われていることは疑いのないくらい明瞭であるが、しかし森岡の目から見れば、大きな問題点が二つある。ひとつは、〈私〉とは「今これを書いているこの人間である」という箇所である。この命題は間違っている。どこが問題かというと、「書いている」の箇所が間違っているのである。正しくは「読んでいる」になるはずである。ただし永井はそう考えないかもしれない。なぜなら、森岡がこの箇所について「間違いである」と言うこと自体が、読み換えの運動が正しく働いた帰結であるからだ、と説明される可能性があるからである。

もうひとつは、「永井均だけがこの私と呼べる特殊なありかたをしている」の箇所である。この文章をどう理解すればよいかは、たいへん難しい。普通の日本語として読めば、これは永井均という固有人名を持った人物にのみ生じる出来事あるいは在り方について述べているように読める。実際に、いまそのように読んだ読者はいるはずだ。[8]

たとえば、「永井均だけがこの私と呼べる特殊なありかたをしている」という永井の文章を素直に読んだ東京太郎さんは、「じゃあ、東京太郎はこの私ではないんだな。永井均という特殊な個人についてだけ当てはまる話をしてるんだな」と思うだろう。このような思い方が正しいのか間違っているのかについては、ていねいな検討が必要になる。これについては後に触れる。

さて、永井は〈私〉が宇宙に存在するかどうかについて、次のように書いている。

> こうも言えよう。全宇宙において成立しているあらゆる事実をすべて記載した厖大な書物を想定した場合、そのどのページにも、数十億の生きた人間のうちのどれがこの私であるかは記されていない、と。その書物には、「私」という語の使用条件について、自己意識の構造について、あるいはまた永井均という人間に関するあらゆる事実について、遺漏のない記述がふくまれていようが、〈私〉についての記述はない。この私が存在していることについては、何も書かれていないのである。なぜだろうか。それはおそらく、〈私〉が存在するという事実はないからであろう。つまり、〈私〉は実在しないからであろう。[9]

〈私〉というものは、椅子があるような形では実在していないし、永井均という人物があるような形では実在していない。痛みの感覚があるような形でも実在していない。実在していないから、あらゆる事実をすべて記した書物を読んでみても、〈私〉とは誰であり、どこにいるのかについては、まったく記載されていない。ではまったく実在しない〈私〉とはいったい何なのか？　それは「この私と呼べる特殊なありかた」のことを意味する。〈私〉とは「実体」ではなくこの私というものが存在しているその特殊な「ありかた」のことである。これが『〈私〉のメタフィジックス』の時期の永井の考え方である。「〈私〉は実在しない」というのはレトリカルな書き方であるが、それはいま森岡が述べたようなことを意味する。

さて、同書の八二頁から九二頁にかけて、永井は、「永井均だけがこの私と呼べる特殊なありかたをしているのは、どうしてなのか」という問いを前方へと踏み越えるような思考実験を行なっている。それは、現在つながっている永井と〈私〉の連結が将来切れていく可能性があるかどうかを問うものである。すなわち、「〈私〉が永井ではなくなる」という可能性があるかどうか、そして「永井が〈私〉ではなくなる」という可能性があるかどうかである。「なくなる」とは、連結が切れるという変化を意味している。

それを検討した永井は、前者の「〈私〉が永井ではなくなる」について言えば、永井ではなくなったあとで〈私〉は別の人物や存在者になるのだろうけれども、その二者のあいだに記憶の連結はないわけだから、「何かではなくなって別の何かになる」というふうにはただちには言えないとして、前者のルートに疑問を呈する。後者の「永井が〈私〉ではなくなる」について言えば、そこには何かの可能性があるとし、次のように結論する。

> しかし永井均が今と同じように存在しているのに、彼はあるひとりの「私」にすぎず、彼とは別に〈私〉が存在することは可能だろうか。私は可能であると考えたい。あるいは、それが可能であるというしかたで〈私〉を捉えたい。永井均が〈私〉であるのは、この世界の根源的な偶然性なのであり、彼に述定されるいかなる性質も変化させることなしに、彼が〈私〉でなくなることは想定可能なのである。[10]

この引用部の最後の文章で、永井は、「彼が〈私〉でなくなることは想定可能なのである」と書いている。（この結論に至る筋道は非常に複雑なので、永井の理路を知りたい読者はぜひ原文を読んで考えてみてほしい）。ここから分かるのは、「人物〇〇が〈私〉である」という場面がまずあって、その次に、人物〇〇がこの世界に存在し続けながらも「人物〇〇が〈私〉ではなくなる」という事態が起きることがあり得ると永井が考えていることである。永井はそのような事態の成立を許すようなものとして〈私〉という概念を設定している。

ちなみに、これと同様の思索は、後の著作『〈魂〉に対する態度』にも現れる。一八七〜一八八頁にかけて永井は次のように書く。

そうだとすれば、今たまたま〈私〉である人物は、身体の時空的連続性も精神の意味的連続性も断ち切ることなしに、〈私〉でなくなることができる（永井均という人物にいかなる異変も起こすことなしに、彼は〈私〉でなくなることができる）ことになる。少なくとも私自身にとって、この想像はまったく容易である。一分後、永井均は生き続けており、今と同じようにこの論文の続きを書き続けている。しかし、彼はもはや〈私〉ではなくなっている。この論文に書かれたような思想を持ち、今と同じ身体、今と同じ記憶を持った、永井均という名の一人物が存在している、という〈客観的〉事実だけが残る。

永井は以上のように明瞭に述べている。[11] 森岡がこの論点にこだわるのは、「人物〇〇が〈私〉ではなくなる」という思考実験が成立するとされる点にこそ、「翔太が〈私〉である」というタイプの命題の本質がありありと現われていると考えるからである。そして森岡は、「人物〇〇が〈私〉ではなくなる」という思考実験の成立そのものに大きな疑義を抱くのである。[12]

いずれにせよ、永井が、「〈私〉は人物○○である」というタイプの命題と、「人物○○が〈私〉である」というタイプの命題を、自覚的に区別している点を確認しておきたい。そのうえで、「〈私〉は人物○○である」と「人物○○が〈私〉である」のうち、前者は問題なく使える命題であるが、後者はそもそも意味のない命題なのではないかというのが、森岡の考えである。そのことは、人物○○と、この文章を読んでいる読者が別の人間であるときに顕著になる。

いまこの文章を読んでいるのは山田花子であると仮定しよう。そのうえでまず「〈私〉は東京太郎である」という命題を考えてみる。これはこの文章を読んでいる山田花子にとっては偽である。しかしその命題の意味を理解することは可能である。すなわちこの命題は、もし仮に山田花子の身体と精神の特徴が東京太郎の身体と精神の特徴に瞬間的に変わったとしたら、そのあとで成立しているであろう事態として、その意味を理解することが可能である（山田花子が東京太郎に「なる」ことが問われているのではないことに注意）。では「東京太郎が〈私〉である」という命題についてはどうだろうか。ここでは、東京太郎という身体精神統合体の存在が最初に措定されていて、その存在が〈私〉なのか〈私〉ではないのかということが問われている。これを山田花子はどう理解するであろうか。森岡の答えは、山田花子はこの命題の意味をけっして理解できないし、理解できてはならないというものである。山田花子は「東京太郎が総理大臣である」とか「東京太郎が火星である」などのあらゆる命題を反事実的に解釈してその意味を理解することができるが、「東京太郎が〈私〉である」という命題だけは理解することができない。なぜなら、述語部分の「〈私〉である」は、何か別の述語部分と入れ替わるような形で代入できるものではないからである。

これに対して、「〈私〉は山田花子である」という命題においては、主語部分の「〈私〉は」は何があっても動かすことのできない大前提であり、たとえ山田花子の全身体精神が他のものにすべて置き換わってしまって跡形もなくなったとしても、やはり動かすことのできない大前提である。そして「〈私〉は山田花子である」のが現実である場合、反事実条件法を駆使していかなる可能性を捜索したとしても、「東京太郎が〈私〉である」ような可能性は措定し得ないのである（もちろん「〈私〉が東京太郎である」ような可能性は措定し得る）。では「〈私〉は山田花子である」ような状況下で、「山田花子が〈私〉である」と言えるかどうかであるが、森岡はそれもまた不可能だと考えている。「〈私〉」はそもそも命題の述語部分に置かれ得ないのである。それが「独在性」の意味するものである。すなわち、〈私〉はすべての可能性を唯一者として貫通して必ず主語の位置に入ってしまうのである。これは可能世界意味論に関する言明のように見えるが、実はそうとも言えない。むしろ、〈私〉の視点からすれば、現実世界に対比されるような可能世界などそもそも存立し得ないことになると考えられる。これは、そもそも可能世界の概念自体に対する疑義につながる。永井は可能世界の概念に依拠する議論を行なってきたし、私もこれまでそうであったが、独在性の視点から見るかぎり、それは誤りである可能性が高い。可能世界の概念を含む議論の妥当性それ自体をあらためて検討する必要がある。この論点は本章では展開することができないので、今後の議論にゆだねることにしたい[13]。いずれにせよ少なくとも言えるのは、独在性が問題となるときには、可能性の豊かさが大幅に縮減されるということである。「〈私〉は〇〇である」という可能性はたくさん措定できるのだけれども、「〇〇が〈私〉である」という可能性は措定し得ない。それは「四角形は丸い」という可能性を措定し得ないことと似ている（同一とは言えないとしても）。

　この論点には後ほどふたたび戻ってくることにして、次に「他我」の問題に移っていきたい。永井は『〈私〉のメタフィジックス』で他人の心について考察している[14]。永井によれば、他人にまったく心がなく「実はみな自動機械である」可能性を私は考えることができる。しかしそれは単に頭でそう考えられるだけのことであって、「正気で、その可能を考慮に入れて生きることはできない」[15]。なぜかと言えば、他人に心があるというのは「現実的世界における人々の確信の構造」であり、その確信にそって生きなければ、私は正気を保つことができないからである。[16] もし、人々は誰も心を持っておらず、単なる自動機械にすぎないと本気で信じてこの世界を生きる人がいたとしたら、その人は「狂気」の生を生きているとしかいいようがない。単に思考実験として想像してみることと、そこで想像されたことが正しいと信じて本気で生きていくことのあいだには、天地の開きがあるのだ。私たちの生をその底辺で支える「確信の構造」があるというこのような見解は、ウィトゲンシュタインの『確実性について』によって打ち出されたものである。永井はそれを他人の心に適用している。この点については、私も同じように考えてきたので、賛同したいと思う。

2 〈私〉の哲学の展開

他人の心についての永井の考え方は、一九九一年に刊行された『〈魂〉に対する態度』で大きな進展を見せる。永井はまず、「他人」と「他者」を区別する。他人とは、私と異なった別の人間であり、他人は心を持つ。ここで言う心とは、たとえば不快な刺激があれば泣くなどの心理作用のことを意味する。私は、泣いている子どもがいたときに、その子のところに行って慰めるという態度を取ることができる。他人に対するこのような関わり方が「心に対する態度」

である。
この「他人」とはまったく異なった概念として、「他者」がある。他者とは、もうひとりの〈私〉という意味を持つものとして導入される。だが、すでに明らかなように、〈私〉は世界の中にただひとつしかあり得ない。ただひとつしかあり得ないのだから、もうひとりの〈私〉とは語義矛盾であると言えそうだが、永井はそう考えない。私は生きていく中で実際にもうひとりの〈私〉を予想しているのであり、それに対してすでに独特の態度を取っているのである。ちょうど「他人」が心を持つように、もうひとりの〈私〉としての「他者」は魂を持つのだと永井は言う[17]。ここでいう魂とは、実体を持って存在する霊魂のことではない。ではそれは何のことなのだろうか。

そもそも〈私〉とは、「そこから世界が開けている唯一の原点たるこの私ただ一人を指示する」ものである[18]。ここで慎重に考えてみてほしいのだが、「唯一の原点たるこの私」というものを語れるためには、「唯一の原点たるこの私」ではないけれどもそれと同じくらいの深さでもって存在していると考えられる「他の」この私というものが、暗黙の前提として予想されていなくてはならないというのが大事な点なのである。そういう「他の」この私が予想されるからこそ、その「他の」この私に反射するような「この私」を言語化して語ることができるのである。

そして「他の」この私に当たるものが、永井の言う「他者」である。永井自身の文章を引用しておこう。

しかし、〈私〉の独我論は、それにしたがえば本来存在しえないはずの他の〈私〉の存在を暗に前提したときにのみ、語りうるものとなりうる。他の〈私〉を暗に前提することなしに、〈私〉を主題化することはできない。他の〈私〉は、つまり他者は、〈私〉についてそれについてだけ——語ろうとする意志の内部で、その意志が産み出す意味作用の不可避的な副産物として、ただ非主題的にのみかいま見られる。しかし、他の〈私〉を主題化しようとすれば、そのとたんにそれは他の「私」に、つまり他人に変質してしまうのである。そのような仕方で、そしてそのような仕方でのみ、しかし〈私〉はつねに他者の存在を予想している。他者が、〈私〉が決して到達しえぬ、〈私〉のとは別の世界が、この魂ではない別の魂が、存在するにちがいない、ということを、である。[19]

永井がここで言う「魂」とは、このつねに存在が予想されるところの「他者」の在り方のことである。永井が、「他者は存在する」と書いていないことに注意してほしい。「〈私〉はつねに他者の存在を予想している」というのが永井の正確な書き方である。永井は、他者の存在それ自体についてはまったくコミットしていない。ここで問われているのは、他者の存在の暗黙裡の予想であり、したがって暗黙知の次元である（永井は「暗黙知」という言葉は使っていない）。

以上をまとめると、私が「〈私〉」と言い始めることができたそのときに、私はすでに暗黙知の次元で、他の〈私〉の存在、すなわち他の「ここから世界が開けている唯一の原点」というものを想像してしまっているのである。その想像の地平があってはじめて、私は「〈私〉」という言葉を語り始めることができる。「〈私〉について語ろうとする意志の内部で他者は非主題的にのみかいま見られる」とは、このことを指している。

しかし、そもそも、他の[20]「ここから世界が開けている唯一の原点」とはいったい何なのか。図1は永井の著書にある図を参考にして森岡が作成したものである。これを使って説明していこう。

この分岐図の上のほうに「永井」がいる。その右に「哲学者」と「俳優」がある。これらを結ぶ直線は、「永井は哲学者である」ことと、「永井は俳優である」ことを意味している。そして実線は現に成立していることを示し、破線は現に成立していないけれども可能であったことを示している。すなわち、永井は哲学者でもあり得たし、俳優でもあり得たのだが、現実には

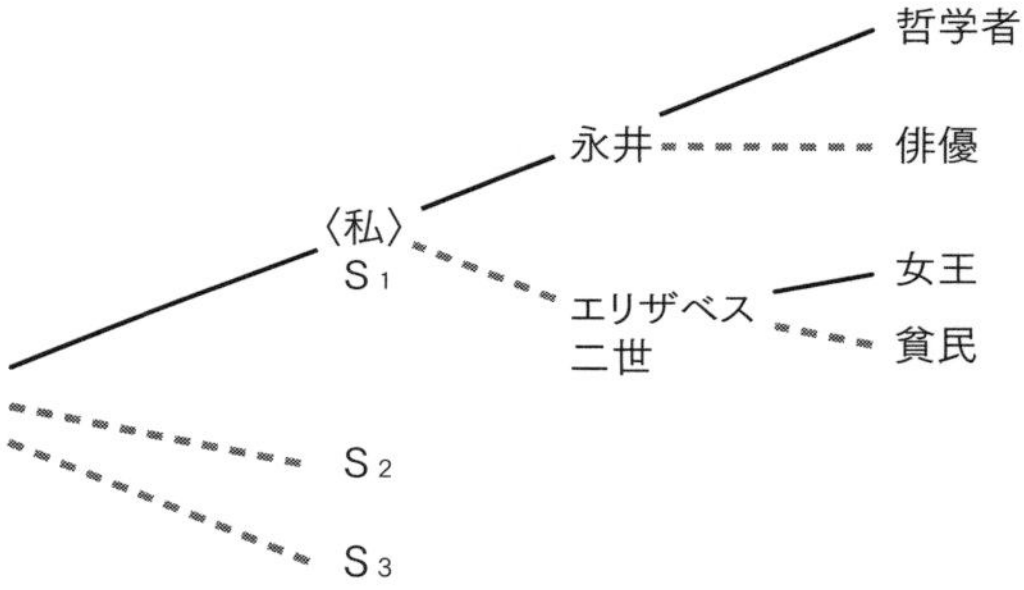

図1

永井は哲学者であるというわけだ。その下の「エリザベス二世」についても同じことが言える。エリザベス二世は女王でもあり得たし、貧民でもあり得たのだが、現実には女王である。

ところで、これと同じことが、「〈私〉」（S1）と書かれている箇所にも当てはまる。〈私〉は永井でもあり得たし、エリザベス二世でもあり得たが、現実には「〈私〉は永井である」というわけだ（この文章の「永井」の箇所に、読者は自身の固有人名を入れて読むことを森岡はお勧めする）。

そしてここが大事なのだが、「〈私〉は永井である」ということが考えられたそのときに、S1である〈私〉と並列して存在すると考えられるS2、S3、……Snという他の〈私〉たちが、暗黙の背景として自動的に予想されているのである。そのような暗黙の予想なくして、「〈私〉は永井である」という事態を考えることはできないというのがポイントである。このときに暗黙知としてつねにすでに予想されているS2、S3、……Snこそが、「他者」なのである。そしてこれらの「他者」のありかたが〈魂〉と呼ばれる。私は、〈魂〉を持つとみなした存在に対して、独特の態度を取る。それはすなわち、他人の心のはたらきが理解できるという次元を超えたような態度、言い換えれば、「ここから世界が開けている唯一の原点」がここではない場所にもまたあり得るという矛盾に満ちた予想の成立が〈私〉の成立よりも先行していることに対する、驚きとおののきに満ちた態度を、私は〈魂〉に対して取るというふうに永井は考えているのではないか。永井自身は次のようなレトリカルな言い方をしている。

> 他者とは、いつもつねに、隣人を持たないものの隣人である。それは、決して到達することのできない、根本的に異質な、もうひとつの世界（の原点）であり、理解しあうことも、助けあうことも、ついには不可能な、無限の距離をへだてた、あまりにも遠い隣人なのである。〈魂〉に対する態度とは、それゆえ、それに向かって態度をとることができないものに対する、愛や共感や理解を超えた態度なのであった。[21]

ここで気を付けるべきは、これは、世界に一〇〇人の人間がいたら、その一〇〇人それぞれが等しく「ここから世界が開けている原点」であり、そのひとりひとりに即してみれば各自はそれぞれがみずからを「唯一の原点」として感じられる、という話ではまったくないということである。独在論の視点からすれば、それは読み換え後の「私」の次元の話になっているのであり、頽落形態なのである。だが、それにもかかわらず、私たちがふだん生きている日常のリアリティはこの頽落形態のほうであろう。森岡がある国際学会の発表で独在論に触れたとき、会場から質問があり、「そうは言っても、この会場にいる人間の数だけ世界の開けの原点があるということは否めない」と批判された。もちろん、この質問者の世界観のほうが常識的なものである。しかしこの世界観のもとでは、永井的な他者の意味についての把握がなされていないだけでなく、〈私〉の意味についての把握もまたなされていないことになるのである。

では、〈私〉の意味を正確に把握しながらも、世界には〈私〉という唯一の世界の開けの原点が複数存在すると主張することは可能なのだろうか。永井の答えはおそらく、それは不可能だというものになるのではないか。

そもそも、世界に〈私〉という唯一の世界の開けの原点が複数存在するというのは、いったいどういうリアリティを指しているのだろうか。唯一のものが複数あるというのは語義矛盾である。だが振り返ってみれば、私たちは親しい人たちと生活をするときに、ちょうどそのような矛盾したリアリティを生きているとも言える。転んで泣いている子どもに声をかけて抱き起すとき、その子どもに他の〈私〉が存在するという語義矛盾そのものを、〈私〉はリアルに生きてしまっている。もしそのように考えられるとすれば、他の〈私〉は永井の言うように「かいま見られる」ものではなく、その子どもの場所に語義矛盾そのものとしてありありと露出しているものであると言えるはずである。そしてその語義矛盾の露出こそが、私たちが共同で生きていくうえでの根拠なき確信の構造を形作っているはずである。この話は「私」の次元での「他人の心」の話をしているのではないから、頽落形態に戻っているわけではない。だがこの論点は相当複雑であり、森岡は、まだこの問題について確たる結論を持つに至っていない。いずれにせよ、永井の他者問題へのアプローチは、等根源的に存在するはずの他我の存在を証明するものとしては構成されていない。ここは誤解されやすい点なので特に指摘しておく。

また、ここで注目しておきたいのは、永井は他者を説明するこの箇所で、「〈私〉は人物○○である」という形式で議論を進めている点である。図1の説明は、「〈私〉は永井である」「〈私〉はエリザベス二世である」という形式を取っており、「永井が〈私〉である」「エリザベス二世が〈私〉である」という形式を取ってはいない。これは重要な点であり、これについてはしばらく後に触れることにする。

　永井は一九九八年に『〈私〉の存在の比類なさ』を刊行する。これは永井が一九九〇年代前半に発表した論文を集めたものである。内容としては『〈魂〉に対する態度』と重なるものが多い。その中で注目すべき章のひとつは一九九三年に発表された論文「独在性の意味（二）」である。その論文で永井は、入不二基義によって提唱された「単独性」の概念を批判し、それと対比させる形で「独在性」の概念にクリアーな光を当てた。その論旨を簡単に紹介しておくと、まず入不二は、誰にでも当てはまるような「私」と、世界でひとりだけ特殊な在り方で存在している者にだけ当てはまるような「この私」を区別する。入不二は「この私」が指し示すものを「単独性」と呼ぶ[22]。ところが、入不二の「単独性」もまた、いったんそれが語られてしまえば、どんな人にでも当てはまるような頽落した形態へと読み換えられて行かざるを得ない。そのように頽落した「単独性」は、けっして「独在性」とは呼べないと永井は主張する。それでは、いったいどうすれば「独在性」をつかまえることができるのかであるが、それは、「独在性」について語ろうとする試みがあったときに、つねにその試みを「そうではない！」と否定し続けていく運動によってのみ、「独在性」をつかまえることができるというのである。以前より永井は、「独在性」が「独在性」ではない次元へと読み換えられていく仕組みが公共言語にはあると主張してきた。ここに至って永井は、そのような読み換えが起きたときに、その読み換えの仕組みに逆らって、どこまでも果てしなく「そうではない、そうではない！」と否定し続ける運動よってはじめて、「独在性」に光を当てることができると考えるのである。これは「独在性」を追い求める極端に禁欲的なスタンスである。永井自身の表現を見ておこう。

ここで入不二は、入不二の「単独性」と永井の「独在性」とを区別せずに論じている。しかし、独在性の〈私〉は、まさにそのような個体性・形式性としての「私」の中に擦り込まれてしまうことの否定としてのみ、在る。独在性を指示する「ずれの運動」は、変質という動きの中に常に既に読み込まれてしまうほかはないものからの、絶えざる離反・逸脱の方向性こそを、指示している。〈私〉とは、「私」の用法をめぐる議論において生起するあらゆる問題からの違背を示す記法なのである。そして、それがなぜそのような否定によってしか示されえない場所にあるのかは、究極的には謎であるし、謎でしかありえない。[23]

公共言語によって「独在性」が別のものへと読み換えられようとするたびごとに、たえずそれを否定していく運動によってのみ、独在性の〈私〉は指し示される。同様のことは同書に収められた「ウィトゲンシュタインの独我論」九八 - 九九頁にも記載されている。この構造は、キリスト教における「否定神学」とよく似ている。否定神学においてもまた、「神とは○○である」という把握がなされるそのたびごとに、それを否定し続けていく運動が要請されるのであり、そのような絶えざる否定の連続によってはじめて私たちは神へと開かれることが可能になる。よって、森岡は永井のこの方式を、独在性に関する「否定神学的アプローチ」と呼んでおきたい。実は、否定神学における否定の運動という発想は、紀元後すぐのグノーシス主義にさかのぼる。そして、同型の思索は古代インドにも見られる。すなわち、ウパニシャッドにおいてアートマンは、「そうではない、そうではない」のアートマンと呼ばれることがあり、絶えざる否定の連続としてのみ接近できるとする思索がはっきりと存在していたのである。ブッダの「非 - 我」の哲学もこの影響下で成立したと考えられる。永井の「否定神学的アプローチ」は、このような思想史上の位置にあると言えるのかもしれない。[24]

さて、永井は二〇〇一年に『転校生とブラック・ジャック』を刊行する。これは哲学教師と一二人の学生が独在性について丁々発止の哲学対話をするという内容である。この本の中で、永井は興味深い思考実験を行なっている。

太郎と次郎という二人の男子がいるのだが、ある日、太郎は、自分の体が次郎の体とそっくり入れ替わっていることを発見する。太郎が自分を鏡で見てみれば、そこにあるのは次郎の体なのだ。そこへ医師のブラック・ジャックが現われ、太郎を手術室に連れ込む。そしてブラック・ジャックは言う、「いまから太郎の記憶を消していき、代わりに次郎の記憶と性格を太郎の脳に植え付ける」と。次郎にはそれと逆の手術をする。太郎は手術台に固定されたままそれを聞き、ブラック・ジャックに言う、「そうしたら、おれは次郎になっちまうじゃないか。おれはどこにいっちまうんだ？[25]」

これは非常に良くできた設定であり、第2章で述べた「翔太が〈私〉である」の元になった話である。この設定では、まず太郎の体が次郎の体と取り換えられる。そのあとで、今度は太郎の精神と記憶が次郎の精神と記憶に取り換えられる。もし人間が体と精神だけでできているのだとしたら、太郎を構成するものはすべて次郎を構成するものと入れ替えられるのである。もし手術後の人物を外側から見ている人がいたら、その人にとっては、目の前にいる人物は次郎だとしか思えないだろう。その人物の体も精神も次郎なのだから。しかしながら、この入れ替えのプロセスを最初からずっと経験している太郎自身にとってはどうだろうか。その経験主体にとっては、いったい何が起きたことになるのだろうか。

よくある普通の入れ替えの思考実験では、二人の人物の体が入れ替わってしまうが、精神はそのままで残っているという設定がほとんどである。永井の思考実験の特徴は、体も精神もともに入れ替わってしまう点にある。しかしそのときに、太郎である〈私〉はどうなってしまうのかというのがここでの論点であると、森岡は捉えてみたい。（この思考実験には、他にもいろいろな取り扱い方があり得る）。

ここで、まず「〈私〉は太郎である」という想定をしてみよう。〈私〉の体は太郎と呼ばれてきた人物の体であり、〈私〉の精神は太郎と呼ばれてきた人物の精神である。あるとき、その太郎の体が次郎の体と入れ替わる。〈私〉から見たときに自分の体はこれまで次郎と呼ばれてきた人物の体であり、自分の精神は太郎と呼ばれてきた人物の精神である。その次に、ブラック・ジャックの手術によって、〈私〉の精神が次郎の精神と入れ替わる。その結果、〈私〉から見たときに、自分の体は次郎と呼ばれてきた人物の体であり、自分の精神は次郎と呼ばれてきた人物の精神である、という状態が出現する。（永井の思考実験を簡略化して微修正した[26]）。

そのときに出現しているのは、〈私〉は次郎であるという状態である。太郎であったときの記憶はもうどこにもないのだから、〈私〉が次郎に「なった」ということにはならない。たんに〈私〉は次郎「である」というわけだ。手術前の太郎の問いかけ、「そうしたら、おれは次郎になっちまうじゃないか。おれはどこにいっちまうんだ？」については、どう答えられるだろうか。おそらく、「おれは次郎にはならない。「おれは次郎である」という状態が出現する。そして、おれはどこにも消え去らずに、ずっとそのまま在り続ける」というふうに答えられると森岡は考える。このときの、体も精神も入れ替わったのに、それでもなお残り続けるところの「おれ」とは何か、というのがここでの最大の論点である。そしてその答えは、この「おれ」こそが、〈私〉というものの別名であるということになるはずだ。そしてこの「おれ」は手術中もずっと目覚めたままでいるのだから、「おれ」は、体と精神が入れ替わるあいだ、ずっと連続的にここに居続けたことになる。

この入れ替わりのプロセスを、次のように観察してみよう。手術前は〈私〉は太郎である。このときに、ちょうど昆虫の標本をコルクボードにピン止めするようにして、〈私〉をこの現実世界にピン止めすると考えてみるのである。ピン止めされた〈私〉は動くことができない。そのかわりに、〈私〉の体と精神が次郎のものと入れ替わって、〈私〉は次郎であるという状態が出現する。〈私〉は現実世界にずっとピン止めされたままで、すべてのプロセスは進行する。

では次に、「太郎が〈私〉である」という想定をしてみよう。このときに現実世界にピン止めされるのは「太郎」である。そのように考えないと、「〈私〉は太郎である」と「太郎が〈私〉

である」の違いが説明できない。そして手術が終わって、「次郎が〈私〉である」という状態が出現する。しかしながら、「次郎が〈私〉である」のならば、手術後に現実世界にピン止めされているのは「次郎」であるはずだ。だとしたら、このプロセスのどこかで太郎からピン止めがはずされ、次郎へとピン止めがやり直されたことになる。しかし、このピン止めの付け直しは、いつどの時点でなされたのだろうか。そもそも、なぜこのケースにおいて、ピン止めがはずされて付け直されるという一連の動作がなされないといけないのだろうか。

　まさにこの思考実験において、「〈私〉は太郎である」と「太郎が〈私〉である」がまったく異なった事態を指しているということが、明らかになるのである。まずはこのことを押さえておこう。

　次に、この本をいま読んでいる読者が「太郎」だったと仮定する。このとき、「〈私〉は太郎である」は読者にとって正しい命題である。そして読者は、「〈私〉は太郎ではない」とはどういう状態であるかを〈私〉であり続けながら想像することができるはずである。では、「太郎が〈私〉である」の場合はどうであろうか。読者は「太郎が〈私〉ではない」とはどういう状態であるかを想像することができるだろうか。それは不可能である。なぜなら、読者である太郎は、「太郎がここから世界が開けている唯一の原点ではない」とはどういう状態かを、太郎であり続けながら想像することはできないはずだからである。もちろん、遠くにいる第三者、たとえば「山田花子がここから世界が開けている唯一の原点ではない」とはどういう状態かを、読者が現実に想像することはできるにちがいない。しかしながら、「太郎がここから世界が開けている唯一の原点ではない」とはどういう状態かを、読者が太郎であり続けながら想像することはできないし、できてはならないはずである。なぜなら「太郎がここから世界が開けている唯一の原点ではない」という想像をいくら行なったとしても、その想像は「ここから世界が開けている唯一の原点」からなされるほかはなく、その想像内容は「ここから世界が開けている唯一の原点」によって決定的に侵食されてしまうからである。「ここから世界が開けている唯一の原点」は、〈私〉によるあらゆる想像を侵食し、汚染し、その原点の存在を否定するような想像までをも貪欲に侵食し、汚染し、みずからの支配下に置いてしまうのである。これこそが独在性の意味であろう。独在性は貫通していくのである。

永井は、以前に引用した『〈魂〉に対する態度』の文章で、これと同じ想像を行ない、「少なくとも私自身にとって、この想像はまったく容易である」と書いている[27]。森岡はまったくそのようには思わない。この点に、独在性に関する永井と森岡の根本的な断絶があるように感じられる。

それでは、「翔太が〈私〉である」についてはどうだろうか。読者が翔太ではなく太郎である場合、「翔太が〈私〉である」という状態を現実に想像することはやはりできない。なぜなら、「翔太が〈私〉である」と措定したときの〈私〉は、「翔太が〈私〉である」という状態をいま想像しようとしている現実の〈私〉とはまったく別の〈私〉を指し示しており、そうなるとそれはもはや真正の〈私〉ではないからである。たとえ読者である太郎から見た場合に、太郎については〈私〉が現実であり、翔太については〈私〉が反実仮想であるとしても、その二つの〈私〉は、太郎と翔太というまったく異なった場所にピン止めされた二つの地点にそれぞれ別個にぶらさがっているわけだから、それらはけっして「ここから世界が開けている唯一の原点」とは言えなくなり、〈私〉は唯一性の〈私〉ではなくなるのである。別の言い方をすると、〈私〉はつねに現実でなくてはならず、〈私〉はけっして反実仮想にはならないのである。これは、〈私〉を語ろうとするそのときに、その前提として他の〈私〉がすでに想像されていなければならないという他者問題の話とは、まったく異なった次元のものである。なぜなら「翔太が〈私〉である」という明確な「措定」は、暗黙知の次元ではたらく「想像」とは別物だからである。

これに対して、「〈私〉が翔太である」という状態を現実に想像するのは簡単にできる。というのも、このときの〈私〉は現実世界にピン止めされた唯一の〈私〉であり、それが現実に太郎であるときも、反事実仮想として翔太であるときも、〈私〉のピン止めはいっさいはずれておらず、〈私〉の唯一性は微動だにしないからである。

同様に、「翔太が〈私〉である」ことからスタートして「翔太が〈私〉ではなくなる」というプロセスを現実に想像することも不可能である。以上が、第2章のトークおよび前節で指摘した「翔太が〈私〉である」についての森岡の違和感を別の角度から説明したものである。

これをさらに敷衍すると、「翔太が〈私〉である」という措定をすることが不可能であるだけではなく、「翔太が〈私〉である」が何を意味するのかを理解することも不可能であることになる。「翔太が〈私〉である」という命題を作ることはできるのだけれども、私はそれを有意味なものとして理解することはできないし、できてはならない。「翔太が〈私〉である」という命題が偽であると言っているのではなく、その命題は有意味に成立しないがゆえに、真偽を問うことができないのである。そして、「翔太が〈私〉である」という命題は有意味に成立しないがゆえに、「翔太が〈私〉である」という命題からスタートする思考実験もまた有意味には成立しない。この論点については、後ほどさらにもう一度別の角度から考察する。

3　森岡の「独在的存在者」の概念

森岡は、永井の独在性の哲学についてこれまで三本の論考を刊行している（そのうちのひとつは「まんが」の形で）。最初のものは、「この宇宙の中にひとりだけ特殊な形で存在することの意味――「独在性」哲学批判序説」であり、永井の『〈私〉の存在の比類なさ』に収められた諸論文とだいたい同じ時期の一九九四年に刊行された。この論文において森岡がどのような主張を行なったのかを簡単に見ておきたい。

森岡は、この宇宙にただひとりだけ特殊な形で存在する存在者のことを「独在的存在者」と呼び、独在的存在者の存在のあり方や性質のことを「独在性」と呼んだ。そして永井の〈私〉に対応するのが「独在的存在者」であるとした。独在的存在者とは、「世界の中で唯一ひとりだけ特殊なあり方をしている唯一無二の存在のことを、究極まで突き詰めて考えたときに発見されるもののことである[28]」。論文で森岡は「独在性の四原則」を立てたので、それを紹介する。

原則1「独在的存在者とは誰のことであるかを、固有名詞によって指示することはできない。」

原則2「独在的存在者とは何であるかを、明示的に語ることはできない。」

原則3「独在的存在者が何であるかを把握することはできる。しかし、それを把握できる人はひとりだけでなければならない。かつ、そのひとりの人が誰であるかを、固有名詞によって指示することはできない。」

独在性にかんしては、

原則4「独在性とは何であるかを、明示的に語ることはできる。」

まず原則1であるが、「独在的存在者は森岡正博である」とか「独在的存在者は山田花子である」というふうに明示的に語ることはできない。もしそれを語ったとすれば、その発言を聞いた者たちによって否定される。原則2も同様で、独在的存在者が何であるかを言語によって明示的に語ることはできない。もし語ったとすれば、それは独在的存在者ではないものへと読み換えられていく。原則3は言語によらない把握についてである。独在的存在者が何であるかを言語によらずに把握することはできるが、「森岡正博は独在的存在者を把握している」と言語で語ることはできない。もしそれを語ったとすれば、それを聞いた者たちによって否定される。原則4は簡単で、独在性を明示的に語ることはできる。

森岡はこのようなことをひととおり述べたあとで、永井の〈私〉と「他者」の概念を批判する。まず永井は「独在的存在者」を表わすのに〈私〉という表記を用いるが、〈私〉と表記してしまうとどうしてもそれと対になる「他者」が予想されるため、「〈私〉について語ることは、必然的に「他の〈私〉」について語ることになっているはずだ、という誤った思索へと導かれてしまうのである」と結論する。そもそも「独在的存在者」には「他の独在的存在者」などというものは理論的に存在しないのだから、独在性のレベルでは他者問題は生じないのだとする。[29]

いまから振り返ってみれば、この論文にはいくつかの問題点がある。まず「〈私〉について語ることは、必然的に「他の〈私〉」について語ることになっているはずだ」という森岡の文章は、永井説の説明としては間違っている。正しくは、「「他の〈私〉」という在り方が前提条件として予想されることによって、私は〈私〉について語ることができるようになる」と書くべきであった。

もう一つの問題点は、〈私〉と「独在的存在者」の関係を正しくとらえていなかったことである。森岡の論文ではこの二つが同一視されているが、それは誤りである。永井の〈私〉の概念をていねいに点検してみれば、そこには、(1)「ここから世界が開けている唯一の原点」という在り方を指している場合と、(2)「〈私〉は人物○○である」「人物○○が〈私〉である」というように固有人名（引用文では「固有名詞」となっていた）と〈私〉との連結を指している場合、の二種類があることが分かる。前者を「在り方としての〈私〉」、後者を「場所としての〈私〉」と呼ぶことにしよう。「場所として」というのは、〈私〉がどの固有人名の場所と連結されているかを問うものだからである。「翔太が〈私〉である」という設定は、「場所としての〈私〉」に関する設定である。

すると、「独在的存在者」は後者の「場所としての〈私〉」と同一であり、「独在性」が前者の「在り方としての〈私〉」と同一であることが分かる。これが正しい形での〈私〉と「独在的存在者」の対応関係である。そのうえで言えば、森岡が〈私〉の問題でもっとも気にしているのは、「場所としての〈私〉」の問題、すなわち「独在的存在者はいったい誰なのか？」という問題である。これに対して永井は、「在り方としての〈私〉」の問題、とくに公共言語によって読み換えが起きるその仕組みというものに問題の本質を見ている。そもそも永井の一貫した問題意識とは、「ある大事なことを見ようとすると、どうしてもそれが見えなくなってしまうという回路があるのだが、その回路の本質はそもそもいったい何なのかをクリアーに知りたい」というものであり、〈私〉の独在性の問題や、後に見る現実性の問題は、まさにこの回路が活躍する代表事例だと永井は考えているのである。そして西洋哲学は、この問題へのあくなき探求によって駆動されてきたと永井は考える。永井の哲学を理解するために押さえておくべき点である。

ところで、「独在的存在者はいったい誰なのか？」という問いに対して、固有人名では答えられないというのが原則1であった。もしそうだとしたら、「人物〇〇が独在的存在者である」と答えられないだけでなく、「独在的存在者は人物〇〇である」とも答えられないことになりそうである。となると、「翔太が独在的存在者である」とか、「独在的存在者は翔太である」とかの思考実験もまた、まったく行なえないことになりそうである。それで正しいのだろうか。

森岡は二〇一三年に『まんが 哲学入門』を刊行し、その中で「独在的存在者」について新しい指示の仕方を発案した。再度確認しておくと、独在的存在者とは「ここから世界が開けている唯一の原点」であり、「世界の中で唯一ひとりだけ特殊なあり方をしている唯一無二の存在のことを、究極まで突き詰めて考えたときに発見されるもののこと」である。ではそれはいったい誰のことかであるが、次のまんがイラスト（図2）によって直接的に指示されている者が、独在的存在者である。[30] そして独在的存在者の場所は、この指差しによって指されている場所である。この場所は「あなたなのです!!」という二人称によって一意的に決まるので、「二人称的確定指示」と呼ぶことにする。そしてこの指差しによって指されている場所を「固有人名」によって一意的に確定することはできない、という点が重要である。『まんが 哲学入門』

図2

ではこの前後にストーリーがあり、そのなかにこのまんがイラストが置かれることで意味がはっきりと分かるので、より良く知りたい読者はぜひその本のその箇所の前後を読んでいただきたい。

このように、二人称的な指差しによって独在的存在者が誰であるのか、すなわち〈私〉の場所がどこであるのかを確定指示できるとする森岡の考え方を永井がどう評価するのか森岡にはまだ分からない[31]。少なくとも永井はこのような確定指示の考えをこれまで示していないとは言える[32]。〈私〉が誰なのか、〈私〉の場所がどこなのかについては、それをどのように表現しても読み換えの運動につかまってしまうので何も確定的には言えなくなる、という路線での思索を永井はこれまで行なってきた。それは〈私〉という在り方の説明としては正しいのであるが、〈私〉の場所の説明としては明瞭さを欠く。もちろん森岡の言う独在的存在者と、永井の言う〈私〉（の場所的側面）が同一であるかどうか、まだはっきりとは分からない。

『まんが 哲学入門』の一四五〜一五一頁で、森岡は他我の問題について考えているが、その箇所は永井が指摘するように、〈私〉の次元における他の〈私〉とは何かという論点には十分に迫り得ていない[33]。この箇所は描き直される必要がある。ただし一六五頁から第3章のラストに至る筋道は、正しいものを含んでいると森岡は考えている。いずれにせよ慎重な再検討が必要である。

森岡は二〇一七年に、論文「独在《どくざい》今在《いまざい》此在《ここざい》的存在者」を刊行した。これは永井の『存在と時間 哲学探究1』（二〇一六年）を考察しつつ、みずからの思索を展開したものである。そして森岡は、独在的存在者の二人称的確定指示について、様々な角度から検討を行なった。この論文はウェブからダウンロードできる。そして「独在的存在者」が「独在今在此在的存在者」へと拡張されていくプロセスについても議論をした。同論文では、森岡による独在性の扱いの概要が本格的に語られ、森岡が進んでいく方向性が示されているが、永井の〈私〉をめぐる本書の守備範囲を超えると思われるので、ここでは扱わない[34]。同論文では、二人称的確定指示がなぜ機能するかなどの理由についても様々に考察したので、関心ある読者は目を通してみてほしい。

二人称的確定指示について、次のような誤解が稀にある。すなわち、私が誰かを指差して「あなたなのです！」と言ったときに、そう言われた人が独在的存在者だということになるという解釈である。この解釈は、指差しの方向を正反対に間違えている。もう一度まんがイラストを見ていただきたいのだが、ここで指差されているのはそのまんがイラストを見ている読者なのであり、見ている読者はまったくの受け身なのである。ここで起きている根本的経験は「指差される」ことであり、自分が誰かを「指差す」ことではない。つまり、独在的存在者が確定指示されるのは、二人称的確定指示によって受け身的に指差されるときのみなのである。そしてそのような受け身的な確定指示がまんがイラストのような生身の人間ではないものによっても可能であるところに、独在的存在者の問題の奥深さがある。

さてここで、その論文で議論することのできなかったひとつの論点を考えてみることにしたい。このまんがイラストの指差しによって指示された者が独在的存在者であるのは間違いない。独在的存在者が誰であるのか、その場所はどこであるのかは、この指示によってひとつだけ確定する。ここには、指示された者が読み換えられていく運動は存在しない。指示は一意的に確定されたまま微動だにしない。これが独在的存在者の二人称的確定指示の特徴である。

ここからが本題であるが、このまんがイラストの指差しによって指示された者、すなわちこの文章をいま読んでいる読者は、その指差しによって指示された独在的存在者が固有人名で誰になるのかを、はっきりと知っているのである。まんがイラストの指差しによって指示された独在的存在者が誰であるのかを知っているが、それが固有人名で誰なのかを知らない、ということはあり得ない。その独在的存在者が固有人名で誰であるのかは、疑いようもなくクリアーなのである。しかしながら、独在的存在者が固有人名で誰であるのかを、指示された者が言葉を用いて表明したとたんに、それは二人称的確定指示の意味を理解している人たちから否定されることになるはずである。たとえば読者の山田花子が「指差しによって指示された独在的存在者は山田花子です」と言ったとたんに、それを聞いた東京太郎や森岡正博によって否定されるのだ、「独在的存在者は山田花子ではない」というふうにして。そして独在的存在者が誰であるかの確認は、ここまでが一連のセットだということである。

つまり、まんがイラストの指差しによって指示された者が、独在的存在者が誰であるのかをはっきりと理解し、「独在的存在者は〇〇です」と発言したり書記したりして、それが周りの人たちによって「そうではない」と否定されるという一連の流れのなかで、独在的存在者が具体的に誰であるのかが動的に確証されていくのである。

さらに考察すれば、まんがイラストの指差しによって指示された者は、独在的存在者が誰であるのかを単なる直観によって把握している。もちろんその直観はまったく正しいのであるが、その単なる直観が真理として確証されるためには、周りの人たちによって「そうではない」と否定される必要がある。その否定を経ることによって、単なる直観は、疑いようのない真理へと格上げされるのである。この意味において、独在的存在者が誰であるのかは、まさに公共的に確証されていくのである。ここには、言語化されたものが公共的に否定されることによって、当初の直観が真理として確証されるという構造がある。独在的存在者の在り方や性質を独在性と呼ぶのであったが、独在性は公共性によって確証されるのである。独在性は二人称的確定指示を契機とした直観によって浮かび上がり、公共性によって確証されると言ってもよいだろう。

補足的に追加しておけば、まんがイラストの指差しによって誰かひとりだけが指示されているとしても、まんがイラストを見るすべての人はそこで指示されたのは自分自身のことだと思うわけだから、すべての人は自分自身を独在的存在者であるとみなすことになってしまう、というふうにもし読者が思ったとしたならば、読者は例の読み換えの運動の罠に見事にはまったのである。その理由はもう繰り返さなくてよいだろう。

ところで、永井は『〈私〉のメタフィジックス』で次のように書いていた（再掲する）。

全宇宙において成立しているあらゆる事実をすべて記載した厖大な書物を想定した場合、そのどのページにも、数十億の生きた人間のうちのどれがこの私であるかは記されていない、と。……この私が存在していることについては、何も書かれていないのである。なぜだろうか。それはおそらく、〈私〉が存在するという事実はないからであろう。つまり、〈私〉は実在しないからであろう。[35]

これと同様の文章はその後の他の著作にも見られる。しかしこれは正しいだろうか。「全宇宙において成立しているあらゆる事実をすべて記載した厖大な書物」がもしあったとしたら、その書物には森岡の『まんが 哲学入門』の「あなたなのです!!」の頁も含まれているであろう。だとすると、そのまんがイラストによって独在的存在者すなわち〈私〉の場所が確定指示されていることになる。そしてこのような形でもって、「この私が存在している」ことがこの厖大な書物に書き込まれてしまっているのである。もちろん、その〈私〉が固有人名として誰なのかについての正しい記述はいっさい書き込まれてはいない。しかしながら、そのまんがイラストによる指差しの先に独在的存在者がたしかに存在することはしっかりと書き込まれていると言うことができる。もちろん、将来、人類や知的生命体が宇宙から絶滅し、廃墟となった地球上にこのまんがイラストだけが残されているという状況は考え得るし、その場合、このまんがイラストによっていかなる独在的存在者も指示されてはいないと考えることも可能であろう。（ただしそれが正しいかどうかについては別途検討が必要である）。しかしこの厖大な書物を読む知的生命体が存在するという状況下においては、この厖大な書物の中に「この私が存在している」ことは書き込まれていると考えざるを得ないと森岡はいまのところ考えている。

森岡が、独在的存在者とは誰なのか、その場所はどこなのかという問いに執着するのは、森岡の「誕生肯定の哲学」と深く関わるからである。[36] 誕生肯定の哲学は、さらに広い「人生の意味の哲学」に包摂される。人生の意味の哲学において、人生の意味は主観的なのか客観的なのかという論争がある。主観主義によれば、有意味な人生はその人の主観的判断によって決まるのであり、他人がとやかく言うべきものではない。客観主義によれば、有意味な人生はある程度客観的に決まるのであり、たとえば一生くだらないことに費やされた人生は客観的に意味がないとされる。森岡はこの論争のなかで、主観主義も客観主義も見逃している次元があると主張する。それは人生の意味における「独在主義」の次元である。独在主義によれば、人生の意味を担う主体は独在的存在者である。独在的存在者とは、さきほどから述べているような二人称的確定指示によって決まる存在者である。生きることや、生まれてきたことの意味には、独在的な次元においてしか問えない領域があるのであり、その次元には客観主義だけではなく主観主義もまた立ち入ることができない。そして独在主義の次元において、人生の意味は、他の何ものとも比較することができない。主観主義は、人間の主観に着目して、それに他人が口出しをするのはおかしいと主張するが、独在主義はそのような「人間一般の主観」について云々するような考え方をすら拒否するのである。そうすることによって、いまこの文章を読んでいる読者の一度かぎりの人生というものの意味を真に立ち上がらせようとするのだ。森岡の「誕生肯定の哲学」は、この独在主義の次元において構想されている。[37] 森岡が永井の独在性の哲学にコミットせざるを得ない最大の理由はここにある。そして、森岡が独在性の読み換えの運動よりも、独在的存在者の場所のほうにより強い関心を持つ理由もここにある。森岡が着目している独在性と、永井が着目してきた独在性が交わっていることだけは少なくとも確かであると思われる。

4　現実性と独在性

永井の「否定神学的アプローチ」はその後も展開していくが、ある時期からそれに加えて別のアプローチが提唱されるようになる。それは「現実性アプローチ」とでも呼べるようなものである。「現実性」の問題は、本シリーズの第3巻で集中的に扱われる予定なので、ここではごく簡単に触れておくだけにしたい。永井の「現実性」への着目は、すでに『〈私〉のメタフィジックス』の時期から見られる。たとえば永井は、同書九二頁で「現実世界における自己であること」をひきうけることに言及し、その註で「現実世界における自己であるとはどのような事態であるかは、これから問題にすべき重要な主題である」と書いている。

このモチーフは、『転校生とブラック・ジャック』で次のように言語化される。

> 他人の場合も私の場合も、「私」は発語するその当人とその純粋自我とそこに中心化された世界を指すが、〈私〉の場合は、そのように中心化された世界が現実世界であるのに対し、他者に中心化された世界は可能世界である。[38]

ここで言われているのは、どんな人間でもその人が世界を見るときに世界はその人を中心として広がっているが、〈私〉の場合はそれに加えて、そのようにして広がっている世界が「現実世界」である、ということが成立している。このような中心こそが、「ただ一つ本当の世界の中心」である。[39]永井はここで、世界が現にこのようなものとして成立しているという意味での「現実性」と、多数の「私」のなかでなぜかただひとつだけ〈私〉があるという「独在性」を連結させようとしている。これは永井の独創である。

この論点を展開したのが、二〇〇四年の『私・今・そして神』である。永井は、世界の存在の仕方についてのカント的な思索とライプニッツ的な思索を対比する。カントは、私が世界を認識するときに、統一的な客観的世界が成立するための条件を考察した。しかしカントはその統一的な客観的世界が、なぜこの唯一の現実世界となるのかについては、まったく考察しなかった。それを考えたのがライプニッツである。カント的な思考では、あり得る様々な可能性のうち、どうしてこの唯一の在り方が現実として選ばれたのかという問いが出てこない。ライプニッツは、あり得る様々な可能性のうち、神の意志がはたらいてそのうちから一つだけが現実として選び取られたと考える。神の意志は「端的な現実を作り出し、そして跡形もなく消える」[40]。

世界は、あんな世界として成立することも可能であったし、こんな世界として成立することも可能であった。その可能性は無数にあった。しかしそれらのなかから、たった一つだけが現実の世界として選び取られた。ライプニッツはこれを神による選択と考えた。この現に選び取られてしまった世界に私たちは存在している。これが現実世界である。この現実世界のほかの、すべてのあり得た世界は可能世界と呼ばれる。現実性という視点から見れば、世界の存在は以上のようなものとして捉えられる。ここで言う現実性は、ヨーロッパ中世哲学の「これ性 haecceitas」(英語では haecceity, thisness) の系列につながるものである。[41]「これ性」とは、私を「この私」と呼ぶときの「この」で表わされているものでもある。

永井は、このような現実性の捉え方を、〈私〉に対しても適用する。世界は東京太郎が〈私〉である世界として成立することも可能であったし、山田花子が〈私〉である世界として成立することも可能であった。さらにその他の可能性もあった。しかしそれらのなかから、たった一つだけ、すなわちこの文章を読んでいる読者が〈私〉である世界だけが現実の世界として選び取られた。ここで、神の選択にも似た何かの選び取りがはたらいている。なぜこのような選び取りがなされたのかは謎にとどまる。しかし〈私〉はこのような選び取りが実際になされ終わった後の世界を生きているのである。

永井の説明を見てみよう。

ライプニッツは無数の可能世界の中から一つを選んでそれに現実性を付与する能力が神にあると考えたが、私は、この能力は無数の人間の中から一人を選んでそれを〈私〉にする能力に対応すると考えた。[42]

永井は、現実性の成立を〈私〉の独在論の本質であるとみなした。これによって、永井は〈私〉の独在性についての「現実性アプローチ」を切り開いたと言ってよい。(なお、前段落の説明で、森岡は永井に即して「○○が〈私〉である」という方式をあえて採用している)。また永井は、現実性の問題は時制においても鍵になると考える。なお、時制において「私」に対応するのは「今」である。

永井は、世界に現実性が付与されるこの奇跡のような出来事を「開闢」と呼ぶ。開闢とは、世界が現実の世界として開かれることであるが、その開けにおいて世界にはいかなる実在も増加していない。ただ現実性のみが世界には付与される。この開闢においてはじめて「始まる」ということが可能になる。そして世界はつねに開闢し続けていると考えられる。言語はこの開闢を隠蔽しつつ開く。永井は次のように書く。「言語は開闢を隠蔽する。逆に言えば、世界を開く。

人称、時制、様相は、客観的世界の成立に不可欠な要件だが、それは開闢それ自体を隠蔽することによって可能になるのだ」[43]。この開闢の概念は魅力的であるが、同書では十分には展開されておらず、概念規定もさほどクリアーではないので、その射程がどこまで及ぶかは未知数である。

永井は二〇一六年に『存在と時間　哲学探究1』を刊行する。これは『私・今・そして神』でつかみ取った「現実性」の概念をさらに展開しながら、〈私〉と時間について探求するものである。同書で永井は、現実性が世界に付与されることによって世界に実在は何も増えないということを「無内包の現実性」と表現している。同書の永井の問題関心は時間の流れと現実性の関係にあり、〈私〉の問題はどちらかといえば傍流に位置している。

永井が、「誰が現実の私であるのか」という独在的存在者の問いについて書いた箇所があるので、引用しておきたい。

> だれが現実の私であるか、いつが現実の今であるか、という問いにかんして、ある絶対的な事実が存在するという立場と、すべては相対的であるという立場の相克が必然的に成立し、それが終結しないのである。[44]

永井はこのように述べて、独在的存在者の場所について二つの立場のあいだで相克が生じ、そのあいだの闘争は終結しないとしている。これは果てしない読み換えの運動を言い直したものである。

これに関連して、同書でもっとも印象的なエピソードは、付録にある「風間くんの質問」と呼ばれるものである。風間くんは永井に次のような質問をしたという。「いま現実にはなぜか〈私〉である風間維彦が、かりに〈私〉でなくただの風間維彦という人であったとしても、〈私〉でないその風間維彦さんも、この現実と全く同じように「なぜ風間維彦が〈私〉なのか」と問うであろうから、風間維彦は〈私〉でないことはありえないのではないか？」[45]。

永井はこの質問をたいへん高く評価した。ただし、後に風間と話をしてみると、微妙に解釈が異なっていたと書いている。[46]そのズレそれ自体もたいへん興味深いのだが、森岡の目からみたとき、ここでの問題設定そのものが間違っていると思える。すでに述べたように、「人物○○が〈私〉である」という命題は有意味な形では成立しない。それが有意味な形で成立するかのように問題が設定されたところから、風間と永井のあいだでズレの運動が始まったというふうに森岡には見える。再度指摘すると、「風間維彦が〈私〉であったり、〈私〉でなかったりする」という箇所に問題がある。あり得る設定は「〈私〉が風間維彦であったり、風間維彦でなかったりする」ようなものだけである。そして「〈私〉が風間維彦でない」場合、有意味に設定され得るのは「風間維彦ではない〈私〉」であり、「〈私〉でない風間維彦」というものは有意味には設定され得ない。

風間の問いは、むしろ次の二つの問いとして問い直せるのではないだろうか。ひとつは、「〈私〉が風間維彦であるときに、山田花子がそれと独自に「なぜ〈私〉は山田花子なのか？」という問いを表明したとしたら、〈私〉は山田花子であり得るのか？」という問いであり、もうひとつは、「〈私〉が死んだあとのこの地上世界で、山田花子が独自に「なぜ〈私〉は山田花子なのか？」という問いを表明したとしたら、〈私〉は山田花子であり得るのか？」という問いである。このとき前者に対しては「ノー」である。後者に対しても「ノー」と言いたいところだが、後者については慎重に考えるべき点がいくつかあり、森岡は現時点では結論を出すことができない。重要な点は、この問いの全体がどの視点から見られているかというところにある。神の位置からなのか、山田花子の位置からなのか、それとも読者の位置からなのか。

以上の論点を、さらに別の角度から見てみよう。繰り返しの議論をしつこく含むがご容赦いただきたい。

人物〇〇と〈私〉が連結される三つの段階がある。

第一段階は、〈私〉という概念それ自体の成立である。すでに永井の『〈魂〉に対する態度』に沿って検討したように（本書一三二頁）、〈私〉という概念が成立するためには、その暗黙知の地平において、他の〈私〉という概念がすでに予想されていなくてはならない。ここで注目すべきは、この点に関する永井の議論は、「人物〇〇が〈私〉である」という形式ではなく、「〈私〉は人物〇〇である」という形式で進められていることである。すなわち、〈私〉は永井であるとか、〈私〉はエリザベス二世であるという思考実験の延長線上で、他の〈私〉1・2……nが想像されるという形式になっているのである。森岡の視点からすれば、これは決定的に重要である。これが第一段階の連結である。

第二段階は、日常生活において、〈私〉の目の前に人物〇〇がいたときに、〈私〉が人物〇〇という場所に他の〈私〉があるというリアリティをもって生きるような状況である。森岡は日常生活において、自分の家族や友人が目の前にいるときには、このようなリアリティで生きている。ただし、このときの「他の〈私〉」とはいったい何なのかを改めて俎上に載せて考察したとすれば、〈私〉はその概念が正確に何を意味するのかを理解することはできないし、理解できてはならない。なぜなら〈私〉にとって〈私〉は唯一のものでなくてはならず、「他の」〈私〉

とは矛盾概念に他ならないからである。面白いのは、その概念の意味を正確に理解できないにもかかわらず、〈私〉は「他の〈私〉」という概念を他の人物○○に連結させて日常生活を生きることができるという点である。このときにいったい何が起きているのかについては、永井のこれまでの考察によっても十分に解明されているとは言えず、いまだ謎にとどまっていると森岡は考えている。森岡はそこに「ペルソナ」概念が介入しているとの予想を持っているので、別途検討していく予定である。[47]

第三の段階が、「人物○○が〈私〉である」という連結のされ方である。ここまでの第一段階と第二段階を森岡は理解することができるが、この第三段階を森岡は理解することができない。とくに、「翔太が〈私〉である」としてみよう、という形式で開始されるような思考実験で何が意味されているのかを森岡は理解できない。なぜなら、このような思考実験において、翔太に連結される〈私〉は、第一段階のように〈私〉を語ろうとする意志の中でその前提条件として予想される他の〈私〉ではなく、最初から翔太の場所に〈私〉があるというふうにして措定されたものだからである。ここで言う「措定」とは、翔太と〈私〉の連結が真であると前提することである。その前提があってはじめて思考実験は開始できる。ここで〈私〉がこの文章の読者であるとする（そしてこれは真なのだが）。このとき、もし翔太が〈私〉であると措定されたとしたら、この世界に唯一の〈私〉が二つ存在することになり、この思考実験は成立しない。この思考実験は端的に無意味である。ではここで〈私〉がこの文章の読者ではないとする。しかしこれは端的に偽であって、偽の前提から思考実験を始めることはできない（あるいは前提が偽であるから、そこから導かれるすべての結論は真であることになろう。これはすなわち思考実験が無意味であることを意味している）。以上に対して、「〈私〉が翔太である」という形の思考実験ならば問題なく可能であることについては、すでに述べた。

再度繰り返しておくと、この第三段階は、他の〈私〉を「予想」する第一段階とは、まったく異なるものであり、この二つを混同してはならない。第一段階と第二段階の連結を森岡は理解できるが、第三段階の連結を森岡は理解できない。別の言い方をすれば、「〈私〉が人物○○である」というときの〈私〉は世界に実在はしないが、世界の中に〈私〉という在り方で占める位置がある。これに対して「人物○○が〈私〉である」というときの〈私〉は世界に実在しないだけでなく、世界の中に〈私〉という在り方で占める位置もないのである。

いずれにせよ、「人物○○が〈私〉である」という命題が有意味に成立可能かどうかという論点は、永井の独在性解釈と、森岡の独在性解釈を大きく分ける点である。永井にとっては、「人物○○が〈私〉である」という命題が（読み換え前であれ後であれ）有意味に成立するということそれ自体が独在性の意味なのであり、それが問えないかもしれないという意見は独在性への無理解としてしか受け取れないであろう。それは、その命題形式が永井の最初期から今日まで一貫して使用されているところからも明らかである。言い換えれば、「人物〇〇が〈私〉である」という命題の提示とその後の運動によって動的に開かれてくる次元こそが真正の独在性なのであり、その次元を欠いた独在論は偽物であるということだ。それに対して、森岡はその命題形式をどうしても有意味なものとしては受け入れられない。森岡は永井の独在論に対して理解的であり、これまでの論述を通してもそれははっきりとしているはずであるが、しかしこの点に関しては大きな断絶を感じざるを得ない。永井側から見て考えられる帰結は以下であろう。ひとつは、森岡は永井型の独在論の本質を理解していないという帰結であり、もうひとつは、森岡は永井型とは別の内容の独在論を主張しているという帰結であり、さらにもうひとつは、森岡はそもそも独在性とは何かを理解していないという帰結である。そしてこの論点はさらに次の話題につながる。

永井は二〇一八年に『世界の独在論的存在構造　哲学探究2』を刊行する。この本は、〈私〉の独在論について、再度その全体像を明るみに出そうとする意欲作である。永井がこれまで行なってきた議論がふたたび最初からまとめ直されており、永井の独在論を理解するための最新のテキストになっている。ここでは二つの点に絞って検討することにしたい。

最初の論点は、〈私〉と「私」の二重性あるいは二面性についてである。永井は、〈私〉の独在性から出発して「私」の客観性（客観世界）に至るルートと、「私」の客観性から出発して〈私〉の独在性に至るルートについて考察し、前者のルートをたどることはできても後者のルートをたどることはできないと述べる。これは非常に重要な点なのでていねいに考えてみたい。同書では八四～八五頁にそれがまとめられている。

まず前者のルートとは、世界にただひとりだけ特殊な形で現に存在している〈私〉がいるというところから出発するルートである。世界は現実にそのようになっており、このことに対して一切の疑いを差しはさむことはできない。そして、〈私〉が社会的存在としてどのような「私」と連結されているかを、私は観察によって発見していくことができる。たとえば、〈私〉はなぜだか分からないが山田花子として存在している、というふうにしてである。これは独在性から出発して客観性に至るルートである。

ところが、いったん客観性が構築されたあとで、客観的世界のほうから独在性へと戻ってくるルートがあるかというと、実はそのルートは存在しないというのが永井のポイントである。つまり、客観的世界には山田花子や東京太郎がいるわけだが、彼らのうちどれが〈私〉なのかを、客観的世界の側だけからスタートして発見することは不可能なのである。なぜなら、独在性の〈私〉というものは、椅子や机があるような意味では客観的世界に実在していないのだから、客観的世界からスタートして、客観的世界の中に実在するものを探すようなやり方では、どの人物が〈私〉に連結しているのかをけっして確定することができないからである。独在性から客観性へは行けるが、客観性から独在性へは帰れないようになっているのだ。永井はこの点に、独我論というものの本質を見ている。永井自身の言葉を引用しておこう。

「〈私〉は、……世の中で永井均と呼ばれている人間である」と発見するこのルートは確実に存在している。しかし、その逆に、世の中で永井均と呼ばれている人物の心や体や自然的・社会的諸関係をどんなに細密に探究しても「永井均という人物は、……〈私〉である」と発見できるルートは存在しないのである。[48]（文中の「……」は永井による記載）

ここで、「〈私〉は、……世の中で永井均と呼ばれている人間である」が、独在性から客観性を発見するルートであり、「永井均という人物は、……〈私〉である」が、客観性から独在性を発見するルートである。前者は存在するが、後者は存在しないと永井は明言している。現実性から客観性へは行けるが、客観性から現実性へは帰れないということの「二重性格」こそが、「累進構造」すなわち読み換えの運動を生み出す「原動力」であると永井は書いている。[49]

ところで、森岡としては、永井が「〈私〉は人物○○である」という命題と、「人物○○が〈私〉である」という命題をここで明確に使い分けている点に注目したい。永井がこのような明確無比な使い分けを要所で行なったのは、この本がはじめてであるように思われる。[50] そして永井は、前者の「〈私〉は人物○○である」と発見するルートは存在するが、「人物○○が〈私〉である」と発見するルートは存在しないと述べるのである。

ということは、森岡がこの章でずっと違和感を抱き続けている「翔太が〈私〉である」という形の命題は、この後者であることになり、その二つの連結のルートを発見することはけっしてできないような命題であることになる。なぜその後者のルートを発見することができないのかと言えば、そもそも「翔太が〈私〉である」という形の命題は、言葉を使って形式的に作り上げることは可能であったとしても、それを私が有意味に理解することはできないからであると森岡は考えたい。その根拠は第2節で述べた。

「〈私〉は人物○○である」という命題は有意味に語られ得るが、「人物○○が〈私〉である」という命題は有意味に語られ得ない、と森岡は考えてきた。だから、「翔太が〈私〉である」

という形の命題を前提として始まるような思考実験はそもそも成立しないと考えた。

もし永井の言うように、「人物○○が〈私〉である」と発見するルートが存在しないのならば、なぜそのような形の命題を前提として始まるような思考実験を永井はこれまで行なってきたのだろうか。第2章の対談でも言及した『哲学の密かな闘い』の一節を再度引用しよう。

すなわち、この世界は、もともと翔太の目から見えている世界で、ただひとり翔太の体が殴られた時だけ本当に痛く、現実に動かせる体は翔太の体ひとつしかない、というような世界なのです。これを、翔太が〈私〉である世界と表記しましょう。[51]

このようにして思考実験が始まるのだが、永井に従えば、「翔太が〈私〉である」と発見できるルートは存在しないのであるから、これを前提として行なわれる思考実験はすべて意味を持たないはずである。もし仮に、引用部分の最後の文章が、「これを、〈私〉が翔太である世界と表記しましょう」となっていたならば、「〈私〉が翔太である」と発見できるルートは存在するので、それに続く思考実験も有意味に遂行できる。

ここから想像されるのは、『世界の独在論的存在構造』で永井が行なったこの峻別を、永井はそれ以前の著作では明瞭に行ない得ていなかったのではないかということである。いや、それとも、「翔太が〈私〉である」と発見できるルートは存在しないにもかかわらず、これを前提とした思考実験はやはり有意味に遂行可能だと永井は言うだろうか。しかし、もしそのルートがないのだとすれば、たとえば「翔太が〈私〉である」ということだったのが、いつのまにか「由美が〈私〉である」ということになってしまった、というような推論もできないはずである。（永井は『哲学の密かな闘い』で「ついには体も心もすべて由美になった翔太が出来上がることになります！」と書いている[52]）。なぜなら、翔太から〈私〉へと至るルートも、由美から〈私〉へと至るルートも発見できないわけであるから、前者が後者になってしまったというような判断自体が不可能になるはずだからである。

永井が『世界の独在論的存在構造』で行なった「〈私〉は人物〇〇である」と「人物〇〇が〈私〉である」の峻別という論点はたいへん重要であると森岡は考えるがゆえに、なぜルートの存在しない後者にもとづいた思考実験や思索を永井がこれまでひんぱんに行なってきたのかが分からないのである。むしろ永井は翔太の思考実験が有意味に成立しないことの重要性に着目するべきだったのではないか。

ここまで考えてくると、この論点はさらに永井の〈私〉の独在性の議論の全体についての疑義へと広がっていく。永井は、世界にはA、B、C……といった多数の人間たちがいるが、なぜそのうちのひとりの○○だけが〈私〉なのかという形式の問いを立てて独在性の問いへの導入としていた。ところが、もし「人物○○が〈私〉である」と発見できるルートが存在しないのならば、この形式による独在性への問いはそもそも成立しないことになるはずである。これは永井の独在論にとっては致命的な難点になる危険性がある。もちろん独在性はこの形式を取らなくても導入できるわけで、ちょうど逆の形の「〈私〉は人物○○である」を利用して、世界にはA、B、C……といった多数の人間たちがいるが、なぜ〈私〉はそのうちのひとりである○○なのかという形で独在性への問いの導入にすることは可能である。森岡はこの形で問題ないと思うが、ただしこの形にすると永井の言う独在性の「奇跡」性が薄まるように森岡は感じる。たしかに〈私〉がA、B、C……のうちのひとりの○○であるというのは「偶然」であるが、〈私〉から客観的世界へのルートが自然と開かれているために、「奇跡」とまでは呼べないように感じるからである。

以下、永井的な発想に寄り添って考えてみると、A、B、C……から〈私〉へのルートは完全に閉ざされているから「人物○○が〈私〉である」と有意味に言うことができないにもかかわらず、〈私〉からA、B、C……へのルートが開いていて「〈私〉は人物○○である」と有意味に言えるということの全体の在り方が、「奇跡」であると考えることはできる。世界にはA、B、C……といった多数の人間たちがいるが、なぜかそのうちのひとりの○○だけが〈私〉であるということが奇跡なのではなく、A、B、C……から〈私〉へのルートが閉ざされているにもかかわらず〈私〉からただひとりの人物○○へのルートが開かれているという全体の在り方が奇跡なのである。

たとえば『世界の独在論的存在構造』から以下の一節を見てみよう。

世界の内容が（物的であれ心的であれ）なんらかの因果連関によって成り立っているとすれば、永井均という人間も（彼の心も体も行為も）その連関の内部にある。彼も（彼のそれらも）世界のさまざまな出来事から影響を受け、また影響を与えている。しかし、彼が〈私〉であるという事実は、その連関にまったく関与しない。〈私〉であるという成分は、世界の進行からいかなる影響も受けず、その進行にまったく寄与しない。それはただ、史上初めて成立した、その世界を開く唯一の原点である、というだけである。[53]

この引用部分は、正しくは以下のように言い直されるべきなのである。

世界の内容が（物的であれ心的であれ）なんらかの因果連関によって成り立っているとすれば、永井均という人間も（彼の心も体も行為も）その連関の内部にある。彼も（彼のそれらも）世界のさまざまな出来事から影響を受け、また影響を与えている。しかし、彼が〈私〉であると発見するルートは閉ざされているにもかかわらず〈私〉は彼であると発見するルートが開かれているという事実は、その連関にまったく関与しない。〈私〉であるという成分は、世界の進行からいかなる影響も受けず、その進行にまったく寄与しない。それはただ、史上初めて成立した、その世界を開く唯一の原点である、というだけである。（傍点部分が森岡による言い直し）

奇跡はこのようにして語られ得るのではないか。もしこのように語られ得るのならば、「人物○○が〈私〉である」という命題は、それがこのような形へと翻訳されるという条件下でのみ許容されるということになるだろう。「人物○○が〈私〉である」という命題の意味は理解不可能であるけれども、このような形へと翻訳されることによって、はじめて正しく取り扱い可能になるのである。

さらにこの思索は次のような展開をするであろう。すなわち、〈私〉から人物〇〇へと至るルートを一方向的に抜けられるという意味で「抜け」と呼ぶことにする。そして人物〇〇から〈私〉へと至るルートが閉ざされていることを「戻ってこれなさ」と呼ぶことにする。このときに、この「抜け」とともに生じているのが連続的な「開闢」であり、〈私〉を他者たちとのコミュニケーションへと開いていく原動力である。これに対して、「戻ってこれなさ」を原動力にして回転するのが公共言語のシステムであると考えられる。

永井から見たときに、森岡の立論は、永井が『ウィトゲンシュタインの誤診』で批判的に扱っているタイプの「独我論」のように見えることだろう。永井は独我論者について言う。「それは、私は野田でありうるなどという、通常は認められない、とんでもない可能性はまったく問題なく認めるのに、通常はまったく問題なく認められている、他人もまた、私が私であるのと同様の意味で、それぞれ「私」である、という事実だけは死んでも認められないのだ」[54]。この文章の前半は「〈私〉は人物〇〇である」を指しており、後半は「人物〇〇が〈私〉である」を指している。この規定だけに基づけば森岡の立論はこの意味での独我論であるとも言えそうである。しかしそれは、二人称的確定指示によって独在的存在者が直示され、かつそれが誰であるのかを固有人名によって語ればつねに間違いになるというタイプの独我論であることになるはずである。このタイプの独我論は否定されなくてはならない立場なのだろうか。

永井は言うかもしれない。「人物〇〇が〈私〉である」という命題の単体を俎上に載せれば、その意味が何であるのかを自己矛盾なしに措定することはたしかにできないかもしれない。しかしそれにもかかわらず、この形式の命題を日常言語の会話のなかに組み込むことによって〈私〉の独在論の意味するものがなぜか伝わっていくという点こそが独在論の核心なのである、と。それはちょうど、第二段階において、「他の〈私〉」という概念が、それ単体としては自己矛盾を含んでいるにもかかわらず、日常生活のリアリティにおいて私は目の前の他人の場所にその矛盾概念の存在をやすやすと同定して生きていることと似ているのである、と。であるから、「人物〇〇が〈私〉である」の意味を理解できないと言い募ることは、木を見て森を見ずと同じことをしているのであり、矛盾概念が人々のあいだで現に作動するという核心部分から目を閉ざすところにこそ真の問題があるのだ、と。

その批判に対して森岡は、矛盾概念が実際に作動することに独在性の核心部分があるかもしれないという論点にはむしろ賛同すると答える。森岡のポイントはそこにあるのではなく、「人物〇〇が〈私〉である」という命題を有意味なものとして措定して思考実験を開始することのおかしさに焦点が合わせられているのである。なぜなら思考実験において大事なのは、私の日常生活におけるリアリティをいったん解除し、当の命題の意味するものを単体として俎上に載せて検討することである。いくら日常生活においては、あるいは一般の人々の常識的態度においては、その命題が意味のあるようなものとして流通し得るとしても、いったんその[illegible]を解除して子細に検討してみれば、その命題の意味するものを有意味に理解するのは不可能であることがあからさまになるのである。それが有意味に理解できないような命題を措定して開始される思考実験というものは、まさに無意味以外の何物でもない。「四角形は丸い」という命題から思考実験を開始しても、何も有意味な帰結が導けないのと同じである。

「人物〇〇が〈私〉である」という命題を私たちが日常言語の作動において使いまわすことができるのは事実である。そしてなぜそれが可能なのかについては、まだ汲み尽くすことのできない謎が存在している。しかしながら、「人物〇〇が〈私〉である」という命題を措定して開始される思考実験は有意味には成立しないと森岡は考えざるを得ない。これが現時点での森岡の結論である。[55] これを、他者を認めない独我論であるとするかどうかであるが、それはむしろ独我論の定義によるであろう。[56]

それでは、「人物〇〇が〈私〉である」という命題を措定して開始される思考実験とは具体的にどのようなものであろうか。すでに言及したが、まず最初期の『〈私〉のメタフィジックス』

の八三頁以降に、〈私〉が千数百年前の女であると想定したときに、「彼女が〈私〉であるという想定は何を意味するのだろうか」[57]という措定から始まる思考実験がある。その帰結として永井均が〈私〉でなくなるという可能性が導かれているのだが、これらの一連の思考実験のうち、「人物○○が〈私〉である」という措定に依拠した部分の考察は有意味には成立しない。(その他の部分の思考実験にはたいへん興味深く有意味なものが含まれている)。

その後の『〈子ども〉のための哲学』の五二頁以降に、人物「A、B、C、D、の四人の男の子がいて、Bが〈ぼく〉である世界」という措定をして開始される思考実験がある。ここでの〈ぼく〉は〈私〉と同義である。そして「Bがいなくなるのではなく、Bはそのままいるのだが、そのBが〈ぼく〉ではない、という状況」を考える。[58]これは「Bという人間のもつどんな性質も変化しないで、ただ彼が〈ぼく〉であったりなかったりする、というのが、この話の前提なのだから」とされている。[59]この「人物○○が〈私〉である」という措定をして行なわれる一連の思考実験は有意味には成立しない。

ただし同箇所での文脈は複雑であり、まず導入部分では〈ぼく〉は永井均であると読者が読めるようなものになっている。[60]その後、永井均であるように見える〈ぼく〉がBであるという形式(「ぼくがBであって」)が導入される。[61]その後、いつのまにかそれが「Bが〈ぼく〉である」

に逆転しており、[62] その後、読者に向かって「「B」のところに自分の名前を入れ」てみることを促す。[63] そしてこれらの読み換えについての考察の果てに至る結論は、独在性の〈奇跡〉は「けっして伝わらない」のであり、「このことは、この文章自体と、この本のここまでの全体に関しても言える！」となるのである。[64]

入門書として、問題の所在を読者に感じてもらうためならば、面白い思考実験の読み物としてあり得るかもしれないけれども、逆に、初心者の読者が初発から間違った独在性の把握をしてしまうリスクがあるのではないかと森岡は危惧する。ではどのような入門の書き方があり得るのかと問われれば、森岡にも良い案はない。

その後の『転校生とブラック・ジャック』の第3章に、先に森岡が検討した思考実験がある。その思考実験は、例の手術後に「でも、その太郎は本当にこのおれだろうか？」と措定して開始されるものである。そして学生Eは、これを、「その中で、Eと呼ばれているこの男だけがぼくであるという特殊なあり方をしている。それが何なのか、それが、それだけが問題なんだよ」というふうに理解して受け取る。このように理解して受け取られた「人物○○が〈私〉である」という形の思考実験は有意味には成立しない。その後の『哲学の密かな闘い』の翔太の思考実験については、すでに何度も述べたとおりである。

以上のような、「人物○○が〈私〉である」という形で開始される思考実験は有意味には成立しないのだが、その思考実験が有意味に成立しないという事態をていねいに点検するなかから、〈私〉についての何かの有意味な発見が導かれてくるという文脈がもしあるとすれば、そのときに、そしてそのときにかぎり、この思考実験は構想される価値を持つと言えるだろう。永井の右記のいくつかの思考実験がそのようなコンテクストを構成しているかどうかについて、森岡は確たる結論を出すことができなかった。

ところで、最新作の『世界の独在論的存在構造』の二種類のルートの議論が行なわれた頁以降で、永井は「人物○○が〈私〉である」という措定から開始される思考実験を行なっていない。たとえば、同書の後半で行なわれている唯一の思考実験は、「東洋の専制君主」の思考実験と呼ばれるものである。これは専制君主の使用する一種の私的言語に、周りの臣下たちがすべて合わせてくれるような状況を考えるものである。この思考実験の設定において永井は、「この場合、〈私〉は専制君主であって」や、「専制君主であるその〈私〉」といった言葉遣いをしている。すなわち「〈私〉は人物○○である」という設定をしているのである。[65] 森岡が本章で疑義を差しはさんだような「人物○○が〈私〉である」という設定を行なってはいない。であるがゆえに、同書の後半部分は、森岡にはある意味で不思議な読後感を残すものである。それは、永井が予告する『哲学探究 第3巻』への移行部分であるからなのかもしれないけれども。

いずれにせよ、本章で、同じ敵陣を違う方角から何度も何度も同じ手法で繰り返し攻撃するというしつこい営みを森岡が遂行しなければならなくなっているのは、けっして森岡の戦略に落ち度があるというわけではなく、この独在性の問題それ自体が相当に複雑で奥深いものであるという性質によるのであろうと森岡は考える。永井も四〇年間手を変え品を変え同一の場所を掘り進めてきたのだから、それは仕方がないのである。

誤解のないように追記しておくと、森岡は「人物○○が〈私〉である」という形で開始される思考実験は有意味には成立しないと主張しているだけであり、永井の著作にそれとは異なった有意味で独創的な独在論の考察が多数あることを否定するものではまったくない。そのうえで、その形の思考実験の成立しなさが暴露する大事なことがあるはずであり、そのひとつがほかならぬ永井自身によって『世界の独在論的存在構造』の二つのルートとして言語化されたのではないかと森岡は考えるのである。

5　読み換えと独在性

さて、『世界の独在論的存在構造』についての第二点目は、〈私〉についての新たな語り口が本格的に導入されている点である。これは以前の著作にも見られるが、やはり本作の大きな特徴であると言える。たとえば次の文章を見てみよう。

> もし読者がこの文章の真意を理解しようとするなら、真意を理解するための通常の仕方（言った人とそれを聞いたまたは読んだ人が同じことを理解することを理想とするような）は断念し、この議論を他人の書いた文章から知ったことは忘れて、あたかもすべてを自分で考えたかのようにこれを捉えるほかはない。[66]

これは、永井が〈私〉について考えてこの文章を書いているというふうに読むのではなく、永井を読者自身によって上書きして、読者自身が〈私〉について考えてこの文章を書いているというふうに読まなくてはならない、ということである。「あたかもすべてを自分で考えたかのようにこれを捉えるほかはない」というのは、このことを意味している。このような提案が読者に向かって直接的になされるのが、この箇所の大きな特徴である。
その2ページ後には次の文章がある。

ここではまず、先ほど「もし読者がその真意を理解しようとするなら、通常の共有的理解の仕方は断念して、……」と言った時と同じように、自分ひとりだけが自分の実存にかんしていきなりこの問題に襲われている、という形をとってこの問題を考えていただきたい。私も私自身のことだけを考えて書いていく。[67]

ここで永井が書いているのも、同じことである。この文章の著者の位置に、読者は自分自身を代入するようにして読め、と言っているのだ。すなわち、永井が「〈私〉」と書くときに、読者はその〈私〉を永井に帰属しているものとして読むのではなく、あたかも読者自身が〈私〉であるかのようにしてそれを読め、ということである。
同書の最後の頁には次のように書かれている。

読者の方々には、自分ではない筆者がこれを書いて、自分はそれを読んでいるということを忘れて、あたかも自分が（自分ひとりが！）これを思っているかのように、読んでもらわねばならない。そのような仕方でのみかろうじて通じることが、ここには書かれているからである。[68]

要するに、永井が「〈私〉」と書くときに、読者はそれを読者の〈私〉であるかのように理解して読まなければならないということである。いまこの文章で森岡が書いたことは（読み換えが起きるので）字義上は正しくないが、意味するところの内容はこの文章でも伝わるはずである。このような〈私〉の解釈のことを、「読者置き換え型」解釈と呼ぶことにしたい。

森岡が思うに、永井による〈私〉の「読者置き換え型」解釈は、森岡による「あなたなのです!!」を用いた独在的存在者の二人称的確定指示にきわめて接近している。というのも、独在的存在者の二人称的確定指示は、〈私〉の場所を指差しによって「読者」へと直接的に差し向ける動作である。この動作と、読者が永井の「〈私〉」をあたかも読者自身の〈私〉であるかのようにして読む動作は、かなり近いと考えられるからである。永井の「読者置き換え型」解釈では、文章に書かれた永井の「〈私〉」はそれを読む読者の〈私〉へと置き換えられて直線的につながれるのであるが、森岡の二人称的確定指示では、紙面に描かれたまんがイラストがちょうど紙面を前方に向けて飛び出すようにして読者の目の奥へと突き刺さり、その目の奥の場所から開いていると暗示されるパースペクティヴに沿って独在的存在者があると指示されるのである。(これは目の奥に実体としての魂とか主観とかがあると言っているわけではない。森岡は将来の著作でこの点をさらに慎重に考察する予定である)。

永井による「読者置き換え型解釈」は、以前の著作でも書かれていたが[69]、しかし『世界の独在論的存在構造』ではそれが明瞭に言語化され、読者に向かって直接的に語り出されており、そこで表明された解釈は森岡の二人称的確定指示と同一ではないにせよ少なくとも同じ方向を向いていると考えられる。ここに、永井の(潜在的ではあるかもしれないが)大きな態度変更が見られると森岡は見ている。

それとの関連も含め、永井が一貫してこだわってきた「読み換えの仕組み」(累進構造)についてここで再度考えてみたい[70]。

独在論には、少なくとも三種類の読み換えがある[71]。

第一は、〈私〉が「私」へと読み換えられていく種類である。すでに何度も説明したように、〈私〉について公共言語をもちいて語ろうとすると、その〈私〉はただちに「私」へと読み換えられてしまう。それを避けようとして「この〈私〉」という言い方をしたとしても、それはただちに「この「私」」へと読み換えられていく。「この「この〈私〉」」という言い方をしても事情は同じで、この運動は無限に続く。これは公共言語が内在している性質によって必然的にそうなるのであり、それを公共言語内で止める方法はない。この種の読み換えを「〈私〉に関する読み換え」と呼ぶことにする。

第二は、〈私〉が固有人名で誰なのかを確定しようとするときに出現する読み換えである。たとえば〈私〉は森岡正博であると森岡正博が発言すると、それを聞いた東京太郎は「〈私〉は森岡正博ではなく、山田花子である」と発言するであろう。それを聞いた人物○○は、「〈私〉は森岡正博でも山田花子でもなく、東京太郎である」と発言するであろう。それを聞いた人物○○は、……というふうに無限の連鎖が続いていく。ここにおいて、〈私〉の連結相手が、次々と別の固有人名によって読み換えられるのである。ここで起きている事態の本質は「〈私〉に関する読み換え」と同じなのだけれども、読み換えられる対象が異なる。この種の読み換えを「固有人名に関する読み換え」と呼ぶことにする。

第三は、「〈私〉とはこの文章のこの箇所を読んでいる者である」という方式を取るときに出現する読み換えである。これはさきほど考察したことであるが、「私がこれをいま書いている」という文章の「私」というものを、読者はあたかもそれが読者自身であるかのようにして読んでほしい、と設定するときに起きる現象である。このとき、この文章の「〈私〉」は、この文章を読んでいる読者を指し示すものとして読み換えられる。この種の読み換えを「〈私〉の同定に関する読み換え」と呼ぶことにする。

この第三の「〈私〉の同定に関する読み換え」は、他の二つ、すなわち「〈私〉に関する読み換え」および「固有人名に関する読み換え」とは少し性質が異なっているように感じられる。まず、「〈私〉の同定に関する読み換え」は、現場に私以外の人間がいなくても生じる。たとえば、私がひとりで部屋に閉じこもって独在性についての論文や本を読んでいるときにでもこの読み換えは起きる。それに比べて、「〈私〉に関する読み換え」と「固有人名に関する読み換え」は、その現場に他の人間（たち）がいないと実際の読み換えは生じない。また、この第三の読み換えは、本や論文を介した他人との批判応答においても起こり得る。さらには、この読み換えは、自分自身で文章を書いて、そのあとでその同じ文章を読むときにもまた生じる。[72]たとえば、私はいま「〈私〉はいまこの文章のこの箇所を書いている」と書くのだが、それを書いた直後に「〈私〉はいまこの文章のこの箇所を書いている」という文章を自分で読み、そこに書かれている〈私〉をあたかもいま読んでいる自分自身であるかのように理解している。ここで起きている読み換えは非常に不思議な構造をしていると考えざるを得ない。第三の「〈私〉の同定に関する読み換え」の問題は、特別な重要性を持つものとして究明されなくてはならない。

この第三の読み換えは、三種類のなかでも、もっとも独在性の強いものであるのかもしれない。なぜなら他人が関与することなしに成立し得るからである。もし私が宇宙最後のひとりになったとして、かつ、まともに動く人工知能が存在しないとしたら、そこでは第一と第二の読み換えは起きようがない。宇宙最後のひとりになったとしてもはたらく読み換えは、この第三の読み換えだけである。しかしここでいったい何が何へと読み換えられているのだろうか。もちろんここには時間の経過の問題が介入してきている。私が「〈私〉」という文字を読むのは、それを書いた時点より後のことだからである。ここには時間的な独在性が介入しているように思われる。しかし、私が自分自身のことを意味しながらPCの画面を見つめて「〈私〉」と書くとき、それを書き込む動作と、「〈私〉」という文字が画面に現れて私がそれを読むのは同時であるから（もしタイムラグがあったとしても私はそのラグを認知できない）、そこに時間の経過は介入していないと考えることもできそうである。

そして、この第三の読み換えは森岡の二人称的確定指示のケースと似ている。「あなたなのです!!」と指差されて、「ああ、私のことか」と思って独在的存在者の場所を理解するというプロセスを読者が取ったとすれば、そこでは「あなた」が「私」に読み換えられるということが起きている。このとき、この読み換えは、「あなた」と「私」は互いに立場交換できるという公共言語の機能を利用してなされている。この「あなた」と「私」の逆転については、永井も二〇一〇年の共著『〈私〉の哲学　を哲学する』でも触れているが、深化させてはいない。[73]

森岡は、指差しによる二人称的確定指示のケースにおいて、たしかに「あなた」から「私」への読み換えが起きていると考える。この点において、この確定指示は「間接的」になされていると言える。森岡は『まんが　哲学入門』において、この確定指示を直接的なものにするために、「プギャー!!」という発話を導入した。[74]「プギャー!!」は人称指示語ではないので、それはいかなる言葉にも読み換えられない。しかしながら、それまでのストーリーを背景として読み進むとき、この「プギャー!!」によって確定指示が「直接的」になされると考えることができる。「あなたなのです!!」と「プギャー!!」のどちらを基盤的とするかについて、森岡はまだ結論を出していない。人称の場合は、二人称的確定指示をはっきりさせるために「あなたなのです!!」の方式が優れているとは言える。ただし「プギャー!!」の優れている点もあって、そのひとつは、それが「いま」という時制と「ここ」という場所性の現実性を直接指示できるという点である。すなわち「プギャー!!」の一指しによって、「独在」(人称)「今在」(時制)「此在」(場所性)が一気に指し示されるのである。この三つはその性質を異にしているけれども、すべて現実性の様式をしており、現実性のその三つの様式を一指しで指し示すことができるのは、「プギャー!!」の特性である。この点については今後さらなる考察をしていきたい[75]。

この第三の読み換えについては、すでに先行研究による指摘がある。勝守真は二〇〇九年の『現代日本哲学への問い』で永井の独在論を紹介して独自の批判を加えている。ちなみに勝守のこの考察は、永井の独在論に理解を示す観点から哲学的になされた、数少ない本格的な論考であるように思われる[76]。勝守は、永井の独在論の「読者」という地点から、永井の使用する「〈私〉」を勝守自身の〈私〉へと読み換える。

勝守は書く。「私が永井による〈私〉論のテクストを理解したとすれば、それは、その叙述における〈私〉を、永井ではなく勝守にとっての「この私」として受けとることによってである[77]」。「……永井のいう〈私〉を勝守真にとっての〈私〉へと読み換え、この読み換えに明示的にもとづく記述体系を採用することにしよう。すなわち、私が〈私〉と表記するのは、永井均ではなくあくまで勝守真にとってのこの私を指し、しかもそれのみを指すことにするのである[78]」。まさに勝守は第三の読み換えについて語っている。そしていま森岡のこの文章を読んでいる読者は、さきほどの引用文中の読み換えと同様の読み換えが森岡の文章と読者のあいだにも起きている、あるいは起き得るという気づきが必要である。そこまで想定してはじめてこの読み換えの意味は明らかになる。勝守はこのことを論考では指摘していないけれども、実はこの点こそが第三の読み換えの核心であると言える。そしてこの点を明瞭にするために導入されたのが、森岡の二人称的確定指示だったのである。[79] 勝守自身は、永井を批判して、〈私〉への他者の浸透という議論をしており、永井の独在論からの離脱を試みようとする。[80]

青山拓央も、永井の独在論の読者という地点から、類似のことを語る。青山はシンポジウムで永井に面と向かっているというシチュエーションで、次のように発言する。「ですが、そう思った瞬間にふと疑問に思うのは、私はこの本を書いていないということです。この本を書いた人はいま目の前に座っている。これはしかし冗談ではなく、決定的に重要なことだと言えます。この本を書けるような人がそこにいるということによって、前言語的な〈これ〉がそこ（永井さん）にもあるという感じがするからです。私の〈これ〉と同等であり、私の言語によって復元されたのではない本物の〈これ〉が、やっぱりそこにもある。そうじゃなかったら、他人がこの本を書けるわけがない。このように感じるのです。……それを自分が言ったのだったらまったく正しいと思うことによって逆に、他の〈これ〉があることを信じさせられてしまうと言いたい。つまり、独我論を他者から教わり、しかもそれが正しいと思うことで独我論から離れると」。[81] 青山の言う「それを自分が言ったのだったらまったく正しい」という表現によって、第三の読みと同じものが事実上語られていると森岡は考える。[82]

勝守と青山の議論は、ともに永井の「読者」という地点から発想されている。永井は自分自身が独在性の定式化の提唱者であるという自意識があるだろうから、彼らのように自身が「初発から読者である」というリアリティを持ちにくいのではないだろうか。森岡は、そして入不二もそうではないかと思われるのだが、勝守や青山とはまた少し違った地点にいるのかもしれない。森岡の場合は、永井の独在論に触れる以前から同様の問題意識を内発的に持っていた。ただし永井と接触するまではそれを自力で明瞭に言語化する手段を持たなかったのである。そして永井自身はおそらくこれと同じ関係をウィトゲンシュタインとのあいだに持っている。

ウィトゲンシュタインは、永井が独在性の問題について唯一「読者」の側に立った人物である。ちょうど森岡が永井に対して注ぐような視線を、永井はウィトゲンシュタインに対して注いでいるのではないか。

永井はウィトゲンシュタインとの出会いを『〈子ども〉のための哲学』で語っているので、長くなるが引用しておきたい。永井は、自分の〈子ども〉の哲学に第二ラウンドがあることを教えてくれたのはウィトゲンシュタインだったとし、次のように書く。

彼に出会わなかったならば、ぼくはたぶん、自分の個人的な〈子ども〉の問いを、問いとして考え続けることができるということに、気づかずに終わっただろう。

……

逆にこうも言える。もしぼくが自分の〈子ども〉の問いを持っていなければ、ウィトゲンシュタインをいくら精密に読んでも、そもそも何が問題にされているのかさえ、まったくわからなかったろう、と。

……

はじめてウィトゲンシュタインに出会ったとき、ぼくがどんなに驚いたかは、別のところにも書いたので、ここでは触れない。彼がぼくよりはるかに先を進んでいたというのではない。でも、確実に一歩先を進んでいた。この問題についてぼくより先を歩いている人がいるということを知ってぼくは驚嘆した。[83]

永井がウィトゲンシュタインに対して書いているところの、自分よりも確実に一歩先を進んでいる人がいることを知ったときの驚嘆と似たようなものを、森岡は永井の論文を読んで感じたということを、私は第2章のトークで語った。その理由は永井のこの文章に書かれているのとほぼ同じであり、森岡が一〇代のころから独在性の問いをひとりで悶々と感じ続けていたからこそ、永井の一九八〇年代初頭の論文を読んだときに、永井がそれをすでに言語化していることを発見できたのである。そしてその驚きは、私に永井への手紙を書かせた。

永井もまた、自分と同じ問いを一歩先に進んで考察していたウィトゲンシュタインのテキストに対して、一読者として向かった。永井はウィトゲンシュタインの苦闘から多くを学び、そして彼から距離を取るに至った。『〈私〉の存在の比類なさ』に収められた論文「ウィトゲンシュタインの独我論」（これは同書中でもっとも刺激的な珠玉論文である）で、永井は次のように書いている。

> かつて、私にとって、ウィトゲンシュタインの魅力の大半はその異様さにあった。彼とは独立に、私自身も独我論という問題にとらわれた一時期があったからである。しかし私は、結局のところ、ウィトゲンシュタインの独我論と私自身の独我論を完全に重ね合わせることに成功したとは言えない。私は、私の独我論を解明するために、ウィトゲンシュタインから離れざるをえなかった。[84]

永井は、ウィトゲンシュタインが解明することのできなかった独我論の本質を自身で切り開こうとした。そしてその結果として、永井はウィトゲンシュタインが明示的に言語化できなかったいくつかのことがらを言語化することにたしかに成功している。それらの点に関しては、今度は永井のほうがウィトゲンシュタインより一歩進んだのである。それが可能になったのは、永井もかつてウィトゲンシュタインに一読者として向かったことがあるからである。

思わず遠いところまで論述が走ってしまった。ここでふたたび元の議論に戻り、独在性の三つの読み換えについてひとつだけ付け加えておきたい。

もし独在性の三つの読み換えを、公共側と独在側に振り分けるとすれば、第一と第二の読み換えはどちらかと言えば公共側に位置しており、第三の読み換えはどちらかと言えば独在側に位置している、というふうに考えることができるかもしれない。この場合、この三つの読み換えの相互関係がどうなっているかであるが、ひとつの可能性は、第三の読み換えがすべての基盤にあり、その基盤の力を借りながら第一と第二の読み換えが成立しているというものである。そのときに、この第三の読み換えの場所に生じているものこそが、永井の言う「開闢」だということができそうである。

この開闢によって、独在側から公共側への「抜け」が起きるとき、世界に何ひとつ実在は追加されていない。もし変化があったとすれば、それは「抜け」が起きたあとに世界に付加された背景光のようなものの存在である。世界は独特の背景光によって色付けされるが、付加された色が世界に実在としてあるわけではない。背景光による色付きは、私が哲学的態度を世界に向けて取るときに自覚される。そのような態度を忘却すれば、背景光による色付きは消えてしまう。ハイデガーが存在忘却という言葉で言おうとしたのはこの色付きの消滅に近いのかもしれない。この背景光による色付きは、哲学的態度を取らないときであっても観察される「クオリア」の色付きとは区別される。また、哲学的態度を取るということは、言語を用いた概念活動をすることを必ずしも意味しない。哲学的態度とは、学者の行なうアカデミックな作業ではなく、もっと日常的な次元で行なわれる世界と人間に対するかかわりの持ち方のことであろう。哲学的態度によって背景光による色付きが世界にもたらされたとしても、それが公共言語の活動に具体的な影響を与えることはないであろう。それはウィトゲンシュタインがチェスの白のキングの駒にかぶせた紙の冠の例(『青色本』)によって的確に表現したことである[85]。森岡は、独在性の問題を考えているときに、たとえウィトゲンシュタインが語らなかったことを新たに語ることができたとしても、それでもなおすべてはウィトゲンシュタインが初期設定した広大な手のひらの上で動いているだけではないのかと、ふと思ってしまうことがある。だが永井はもう一歩踏み込んで次のように言っている。「ウィトゲンシュタインの哲学が前人未到の問題領域の存在を決定的な仕方で提示したことは疑う余地がないが、その本質的な誤りもまた疑う余地がないと思う[86]」。

ここまで、永井の独在性の哲学をできるだけ理解しようと試みてきた。それによって、森岡が持っていた永井の哲学についての誤解を自己修正することができたし、森岡自身の思索を深めることができた。それは永井の独在性の哲学とはまた異なった方向、すなわち森岡の独在性の哲学へと今後展開していくであろう。そのさらなる言語化は本シリーズの第三巻およびその後の森岡の著作にゆだねることとし、本章をこれで終えることにしたい。現代哲学ラボのイベントのときから積み残してきた課題のひとつに、論争的ではあるが、とりあえずの答えを与えることができたことをうれしく思っている。

※　本原稿を明石書店に渡したのが二〇二〇年一二月である。永井は最新作『哲学探究3』をウェブ春秋「はるとあき」で連載しており、現在その第二回が掲載されている。本章執筆終了時に森岡はその回まで読むことができた。

1——永井 (1986)、九頁。

2——永井 (1986)、二六頁。

3——永井 (1986)、二五頁。

4——永井 (1986)、五〇頁。

5——永井 (1986)、七二頁。

6——永井 (1986)、七四～七五頁。

7——永井 (1986)、七五～七六頁。

8——永井は後の著書『〈私〉の存在の比類なさ』で、山田友幸による永井説の読み間違いを厳しく糾弾している（永井 (1998)、一三三～一三五頁）。山田は自身の論文で、〈私〉とは「永井であるところの「この私」ただ一人を指すという」と書いてそれに疑いを差しはさむのだが、それに対して永井は、この文章が「「私」の独我論」的に読み換えられてしまった後の地点から山田が考察を開始しているとして批判するのである。永井による批判は理解可能ではあるものの、このような誤読が生じる原因のひとつに、永井自身の文章のそっけなさというか、必要な説明が足りていないことがあげられると森岡は思う。

9——永井 (1986)、七七～七八頁。

10——永井 (1986)、八八～八九頁。傍点永井。

11——さらに同様の記述は、『哲学の密かな闘い』にも見られる。「私はこの原稿を書きながら、私でなくなる。そして永井氏はこの原稿を書き続ける。もちろん、彼が意識を失ったわけでも自己意識をなくしたわけでもない」（永井 (2013)、七五頁）。

12――ところで、永井『〈子ども〉のための哲学』（一九九六年）の八八頁には、「拙著『〈魂〉に対する態度』（勁草書房）一八八頁の記述はまちがいです！」と書かれている。おそらくそれは、本文で森岡が引用した箇所に引き続いて登場する文章、すなわち「あるいはまた、〈私〉は永井均の身体と精神から離脱し、始めのうち残存していた彼の卑俗な精神の影響（記憶）も次第に消え去り、ついにはまったく超越的な視点から、永井均を含む世界をまったく客観的に眺められるようになる、と考えてもよい」、の部分だと森岡は考えている。

13――「可能世界」と「可能性」は異なる概念である。森岡は本文では「可能性」という言葉を使用する。

14――永井（1986）、一四頁。

15――永井（1986）、一三頁。

16――永井（1986）、一三頁。

17――永井（1991）、二〇二頁。

18――永井（1991）、二〇五頁。

19――永井（1991）、二一〇頁。

20――永井（1991）、二三二頁。

21――永井（1991）、二三五～二三六頁。

22――入不二（1992）、四〇頁。

23――永井（1998）、一九六～一九七頁。

24――森岡（2020）、一五九頁、一八三頁参照。

25――永井（2001）、四五～四八頁。

26――永井の思考実験では、体が入れ替わってから数日後に精神が入れ替わるということになっているが、森岡の例では体が入れ替わったすぐ後に精神も入れ替わると修正した。

27――この点について、森岡は別論文で詳述する予定である。

28――森岡（1994）、一二一頁。

29――森岡（1994）、一二八～一二九頁。

30――森岡（2013）、一六五頁。

31――永井はこの点について、『まんが哲学入門』の「第3章はまさにここで私が問題にしたいことを――なんと漫画によって！――主題化することに成功しているのだが、興味深いことに、一四七頁辺りでまさにこの混同がなされている」と言及している。「混同」とは他我問題に関する混同（永井（2016）、一二一頁）である。この文章の前半を読むかぎり、とりあえずこのテーマの主題化については肯定的に評価されていると思われる。

32――永井は、たとえば『私・今・そして神』で「指すこと」について触れ、「「我思うゆえに我あり」が抱える脅威も同じだ。もしそれが正しいなら、それは現に存在しているこの私を、それだけが現に存在しているこの私を、指せないのではないか」と書いている（永井（2004）、一八四頁）。二人称的確定指示はまさにそれを「指す」ことができるというのが森岡のポイントである。

33――前註の後半で永井はこの点を指摘している。

34――一点だけ指摘しておくと、森岡は「此在的存在者」という独在性の在り方を認めるが、永井はそれは認めない。永井は、「私」「今」の独在性は哲学的問題になるが、「ここ」の独在性は同様の哲学的問題にはならないとする（永井(2012)、一六一頁）。

35——永井(1986)、七七〜七八頁。

36——森岡(2020)、第7章。

37——以上については、Morioka(2019)参照。

38——永井(2001)、一六九頁。

39——永井(2001)、一六八頁。

40——永井(2004)、一七五頁。

41——永井(2004)、一〇二頁。

42——永井(2004)、一二七頁。

43——永井(2004)、二二二頁。

44——永井(2016)、五五頁。

45——永井(2016)、三三〇頁。

46——永井(2016)、三一九頁。

47——森岡のペルソナ論をまとめた論文が刊行予定である。Morioka (forthcoming) 参照。

48——永井(2018)、八五頁。

49——永井(2018)、一〇七頁。

50——使い分け自体は、既述のように『〈私〉のメタフィジックス』でも行なわれている。

51——永井 (2013)、八〇頁。
52——永井 (2013)、八一頁。
53——永井 (2018)、二四頁。
54——永井 (2012)、一一九頁。
55——永井は『ウィトゲンシュタインの誤診』で、『青色本』の時期のウィトゲンシュタイン的な独我論と、永井的な独我論（独在論）の違いについて述べている。永井によれば、ウィトゲンシュタインは、他人に私的体験があるとかないとか語ることそれ自体が成立しないと考えた。なぜなら、「他人にも私的体験がある」という仮説が「何を意味するのかがそもそも分からない」からである。だから「そのような「仮説」さえ立てることができない」（永井 (2013)、二〇頁）。これに対して永井は、「それが何を意味するのかがそもそも分からない」ということはあり得ないとする。というのも、〈私〉において私的体験が成立しているとみなしている以上、別の人においてもその事態が成立しうることが私に理解されているのでなければならないからである（永井 (2013)、二三頁）。ここを読むと、森岡の考え方は永井が否定する意味でのウィトゲンシュタインの独我論と同じであるように見える。ただし、ウィトゲンシュタインが二人称的確定指示についてどう考えるかは分からないので、森岡は自身の考えがウィトゲンシュタイン型であるかどうかについては判断できない。おそらく異なるのではないか。
56——話は少しずれるが、この世界に現存する独我性を主張する論を独我論と呼ぶのがいいかどうか、森岡自身も揺れている。この問題は、独在論をどう英語に訳すかということと関わる。森岡はいまのところ英語論文では独在論を「existential solipsism」と訳しているが、これで良いのかどうかは分からない。こう訳すと、独在論は独我論に包摂されることになる。
57――永井（1986）、八四頁。
58――永井（1996）、五二頁。
59――永井（1996）、五四頁。
60――永井（1996）、四五頁あたり。
61――永井（1996）、四九頁。
62――永井（1996）、五二頁。
63――永井（1996）、五六頁。
64――永井（1996）、一〇一頁。さらに「ぼくの人生とは、結局この読み換えを生きるということだったのだ」と締めくくられる（一〇二頁）。
65――永井（2018）、一七六〜一七七頁。
66――永井（2018）、二一頁。
67――永井（2018）、二三頁（「……」は永井による）。
68――永井（2018）、二九四頁。
69――さきほども言及した『〈子ども〉のための哲学』には、読者に向けて、「「B」のところに自分の名前を入れ、〈ぼく〉のところに自分がいつも使う第一人称代名詞を入れてみればいい」と書く箇所がある（永井（1996）、五六頁。また、永井の『ウィトゲンシュタインの誤診』には、次のような記述がある。「当然のことながら、読者がいま私が言っていることを理解するときには、すでにしてこれと同種のずれが生じてしまっている。いわば、すでに野田の立場にある永井の発言から最初の「私」の立場を理解して、そのずれを認めてしかるのちに埋めなければならないわけである。そのことがこの議論を伝えがたくしている」（永井（2012）、八七頁）。「賛同した人は、「私」を永井と見ずに、それぞれ読者自身のこととみなしたわけだが、その読み換えができるということにおいてすでに、「私」の相対化が生じ、アルファでありオメガであったはずの端的さは失われている。私にとっては、その見解が他者に同意されてしまったことにおいて。読者にとっては、その見解が他者の見解に同意することから生じていることにおいて」（永井（2012）、八八頁）。これは永井が読者に向かって直接呼びかけているのではないけれども、「読者置き換え型解釈」について実質的に言及していると言える。

70——永井の『〈私〉の存在の比類なさ』に「読み換えのしくみ」という表現があるので、本章ではそれのことを「読み換え（の仕組み）」と呼ぶことにする（永井（1998）、一六九頁）。

71——永井はこの三種類の読み換えについて著作で何度も語っているけれども、自覚的にそれを三分類して考察しているかどうかは定かではない。

72——後述する勝守真もこの点を指摘している。勝守（2009）、一三二頁。

73——永井ほか（2010）、一四三頁。

74——森岡・寺田（2013）、一六七頁。森岡（2017）、一一一〜一一二頁。

75——入不二基義は『現実性の問題』（筑摩書房、二〇二〇年）において、この「あなたなのです!!」と「プギャー!!」を、入不二的な「現実性の哲学」から考察しており注目に値する（入不二（2020）、二四〇〜二四三頁）。

76――本章や本シリーズ第一巻で登場した入不二基義が、もっとも永井に肉薄し永井に影響を与えた哲学者である。入不二は彼独自の哲学を展開するなかで永井と切り結んだ。他の論者としては新山喜嗣がいる。彼は『ソシアの錯覚――可能世界と他者』（春秋社、二〇一一年）において永井の〈私〉論を批判的に検討するが、しかし永井の議論を正しく捉えているかどうか不明である。たとえば彼は次のように書く。「すなわち、「独在性」としての〈私〉も、世界に存在しうる個数については何の束縛も受けず、それが複数個にわたって存在することは全く可能なのである。別言すると、「独在性」としてのこの〈私〉がこの世界で類例をみない特殊性をもつとしても、そのこと自体によっては、この〈私〉がいる世界と同一の世界に他の〈私〉が存在することを否定することはできないのである」（三一〇頁）。これは永井の見ようとしている独在性とは別のものであろう。中原紀生がウェブに発表した連作評論「「私」がいっぱい」（一九九九年、http://www.eonet.ne.jp/~orion-n/ESSAY/TETUGAKU/17.html、二〇二〇年一一月三日閲覧）は、永井と入不二と森岡の議論を独自の視点から批評したもので、注目に値する。ウェブの深海に沈んで読者からは見えにくくなっていると思われるので、注意喚起しておきたい。中原の森岡批判はおおむね正しい。本章の議論で森岡はそれを乗り超えられたと考えている。冲永宜司は『心の形而上学』（創文社、二〇〇七年）の第二部第六章〜第八章にかけて、永井に直接言及してはいないけれども「この私」の形而上学について独自の考察を行なっており参照に値する。

77――勝守（2009）、一一六頁。

78――勝守（2009）、一三〇頁（「……」は森岡による）。

79――勝守はさらに、それらの文章を書くときにおきる「〈私〉自身の《内部》で」の読み換えについても語っており、またそこでは時間性の次元が本質になることも指摘しており、注目される（勝守(2009)、一三二～一三三頁）。

80——勝守(2009)、一三四～一四七頁。

81——永井ほか(2010)、一七〇～一七一頁（「……」は森岡による）。

82——青山は大学院で永井に指導を受けたという点を加味して読むと味わい深い。

83——永井(1996)、六九～七一頁（「……」は森岡による）。

84——永井(1998)、八七～八八頁。

85——永井(2012)、一七二～一七三頁。

86——永井(2018)、一四〇頁。

第4章
森岡論文への応答

永井 均

1 「第1章 〈私〉とは何だろうか?」について

「第1章 〈私〉とは何だろうか?」の2の「〈私〉とは何か」という箇所から始めたい。その最初のほうの、この話は他者に伝わらない(伝わったときには意味が変わってしまう)ということを説明する部分は、なかなか面白い。そこで興味深い点は、すでにそこまでのところで二つの問題があることになる、という点である。一つは、なぜか〈私〉という不思議なものが存在しているという事実があるということであり、もう一つは、それなのにその事実は人に伝わらない、ということである。

一つ目の問題について、ぜひとも付け加えるべきポイントが二つある。第一は、いま言ったように、それは不思議なことなのだという点である。なぜなら、それは無いほうが常態(普通の状態)だからである。それは百年前には無かったし、おそらくは百年後にも無いであろう。人類史はもうそうとうに長く、動物史はもっと長いが、そのほとんどの時間にわたって〈私〉は存在しなかったし、これからもまた存在しないことになるであろう。そのうえまた、それはそもそもまったく存在しないこともありえた。おそらくは母親が人工妊娠中絶をするだけで、その非存在は簡単に実現していたであろう。* だから、現に〈私〉が存在しているということとは、とても珍しい、異様な、不思議なことが起きているということなのである。〈私〉の問題は、なによりもまずこの存在論的な驚きの問題でなければならない。**

* すぐ後に述べるようにその存在は通常の因果連関の外にあるのだから、もっと驚くべき仕方で存在しないことも可能である（あった）ことになる。それは、その現に〈私〉であるその人は現在そうあるあり方と寸分も変わりなく存在しているのにただ〈私〉ではないということが可能である、ということである。つまり、これまでもこれからもたくさんいる、ただの普通の人間として存在していることが可能である、ということである。

** 存在が問題なのであるから、〈私〉でありうる人間の候補はもともと一人しか存在していなくてもかまわない。そうであっても同じ問題が（ある意味ではより先鋭な形で）設定可能である。その人（かりにPと名づけよう）がなぜか〈私〉である場合とそうでない（すなわちただの普通の人間である）場合とで、世界のあり方は（客観的・実在的《リアル》には何も変化することなしに）激変することになる。それはいわば存在と無の差異である。実在的な差異を何も生み出すことなしに現実存在《エグジスタンス》の有無という差異が生じうるのだ。複数の人間が存在する場合でも、問題の原型がここにあることに変わりはない。

そして第二に、なぜ不思議なのかといえば、(なぜか現在は)たくさんの人間のなかに一人だけ〈私〉である人が存在しているわけだが、その人が〈私〉であるということに、その人がどういう人であるか(心的であれ身体的であれ、その人の持つ性質、特性、特徴)がまったく関与していない、という点が不思議なのである。*その人はその人を〈私〉たらしめるようないかなる特質も持ってはいないのだ。ということはすなわち、〈私〉の存在にはいかなる原因もないということであり、その存在は世界の因果連関から外れている、ということを意味する。これは驚くべきことだといえる。

* この事態を表現するには、チェスの駒の一つに紙の冠を被せるというウィトゲンシュタインが開発した比喩が最も適切である。そのチェスの駒の本質はその駒の形とチェスのルールによって尽くされており、被せられた冠はチェスのゲームの進行にいっさい関与(寄与)しない。一つだけ違う点は、にもかかわらず、その冠が被せられなければ実在するそのチェスゲームはどこからも開かれないという点である。

この二点を付け加えないと、多くの読者は問題の真の意味を理解することができないだろう。問題の意味を理解してもらうという点に関しては、さらにもう一つの方策も(おそらくは)不可欠であると思う。それは問題の（例えば図解による）抽象化である。第1章の2における森岡の叙述においては、〈私〉であるのは問いかけられている読者全員かまたは著者である森岡正博である。最初からふつうに読み進んでいる読者にはそうとしか読めないだろう。3に入って「その〈私〉というのは、いったい誰のことなのか？」という問いが立てられるが、この叙述の仕方によって、何が問題にされているかをつかめる読者は少ないと思う。2から3へのこの叙述から、これまでこの問題を一度も考えたことがなかった人が問題の意味を理解できるようになるとは思えない。*

* 最も起こりそうなことは、この問題を意識の私秘性の問題と混同することである。「たとえば、あそこを歩いている人を蜂が刺したとしても、私には直接の痛みは感じられない。…しかし私の身体を蜂が刺したら、強烈な痛みを感じることだろう。つまり、この世界にはたくさんの人間たちがいるけれども、蜂に刺されたら直接的な痛みを感じるような人間は、ここにひとりだけ…」（一五頁）と、これに続く記述は、〈私〉とは何なのか、何が問題になっているのか、をしっかり理解した後でなければ、通常の意識の私秘性の問題と混同されるほかはない。一般的な意識の私秘性という問題もまた、それ自体が哲学の世界でしか問われることがない、やはりある種の驚くべきことを語ってはおり、とりわけそれがクオリアの逆転や欠如の可能性（他人の感じる痛さや甘さや赤さや…は決して感じることができないのだから、じつは自分が感じて

いるのとはまったく違う感覚であるかもしれないし、そもそも何も感じていないかもしれない）の問題に結びつけられる際には、驚天動地の問題提起でさえありうる。ここで、それらの問題群と独在性の問題群とを——つまり二種の哲学的驚きを——峻別するにはかなり周到な手続きが必要とされる。まさにそれこそが私がしたかったことであり、またしてきたことでもあるのだが、なぜか森岡の叙述にはその痕跡が認められない。

他者に問題の意味を説明するという文脈では、問題は最初から抽象化されて提示されなければならない。それは例えば、このような図によって可能になる。この図は、一つ目の問題についての「ぜひとも付け加えるべきポイント」の一つ目の説明の中で注＊を付けた箇所（二一〇頁）と注＊の中で提示された対比（二一一頁）を図解したものである。この二つの図では、…●▲◆■▼…は人間（あるいは意識的存在者）を表現しており、形の違いはそれぞれの（物的および心的な）属性の違いを表している。■がなぜか〈私〉であるという事実は、図2において■が白抜きにされて□となっていることによって表現されている。図1は異なる複数の人間が存在していることを表現するだけの通常の平板な（平面的な）図だが、図2は、図1のような平板な世界のあり方と、実のところは「そこから世界が開ける唯一の原点」が存在… ● ▲ ◆ ■ ▼ …

図1

… ● ▲ ◆ □ ▼ …

図2

している！　という異様な世界のあり方とが（つまり矛盾した二種類の世界像が）合体させられている。

私の経験では、ほとんどの人がこの二種の図の違いを理解でき、理解したすべての人が自分自身を図の□と同定することができる。この単純なことを言葉で説明するのはとても難しいのだが、図で示すのは容易であり、そのうえ図のほうが存在論的に本質的なポイントが直に伝わるという利点もある。存在論的に本質的なポイントとは、この図解においては、誰が白抜きの□であるかは本質的な問題ではなく、図1と図2の対比こそが、すなわち二種の世界の、あるいは世界の二種の捉え方の差異*こそが本質的な問題として提示されているという点である。独在性という問題の哲学的本質はもっぱらこの対比にある。この二つの世界は、客観的に（各人の主観的事実を含めて）見ればまったく同じ世界であるにもかかわらず、そのどれかが現に〈私〉である、という観点を入れると、根源的に異なる世界となる。逆にいえば、これほど根源的な違いがあるにもかかわらず、いかなる実在的《リアル》な差異もない、ということが問題の本質である。

＊　一方は世界がどこからも開けていないので、そもそも存在しないのと大差がないのに対して、他方は現実に世界がある一点から開けている（ので現実に生き生きと存在している）という差異である。チェスの比喩では冠が被せられることで表現された。

なお、森岡の独自の問題提起に関連して予めひとこと言っておくなら、この図を説明する際に、「〈私〉は□である」と言っても間違いとはいえないが、「□が〈私〉である」と表現するほうが論点が精確に伝わるという意味で適切である。前者では、あたかも〈私〉が存在すること自体は自明の前提であって、それがなぜか□である、と言っているようにとられてしまうかもしれないのに対して、後者であれば、現在のこの世界はなぜか〈私〉が存在している世界である！という存在論的驚きを比較的容易にそこに込めて理解できるからである。

ところで、これは他者に問題の意味を説明するための図であるのだから、先ほどの図の説明においては「■がなぜか〈私〉であるという事実は…」と簡単に語ったことの代わりに、いずれにせよ〈〉の意味の概念的な説明が不可欠になる。その際には、私がこれまで様々な形で提示してきた、〈私〉の第一基準（かまたはそれと本質的には同じ趣旨の何か）を使わざるをえないだろう。第一基準とは、『世界の独在論的存在構造』の第7章での新しい定式化を少し初心者向きに言い換えて提示するなら、「この世界の中で、現実に痛みを感じ、現実に物が見え、現実に音が聞こえ、現実に思考し、現実に想像したり思い出したりする唯一の人」である。さて、なぜそれは他者にも通じるのだろうか。それは、他者もまたこの仕方でしか自分を識別することができないからであり、それをする際にはその人における独在性がはたらかざるをえないからである。*

＊　これを「おける・独在性」あるいは「とっては・しかなさ」と呼ぶ。ここには「累進構造」と私が呼ぶ、独在論にとって枢要的な議論が介在するのだが、なぜか森岡はこの議論にまったく触れていないので、ここでも触れずに進むほかはない。ここでついでに、いくつか類似の不満を述べておこう。先ほど触れた第一基準（と第二基準の区別の議論）、それに関連して重要な〈私〉と《私》の区別と連関（その連関にもさらに累進構造が生じるという問題）、それらを支える中核的な主張である「ものごとの理解の基本形式」（とそれの独在的事実との関係の問題）、そこから派生する事態としての「無関与（無寄与）的存在」をめぐる議論、タテ問題とヨコ問題の区別、さらに〈私〉の連続性を論じる際に不可欠な「カント原理」との関係（とりわけカント原理の優位性の議論、それは第二基準の優位性の議論でもある）等々、私がこの三十年間に開発して執拗に論じてきた多くの議論がなぜか問題にされず、それ以前の素朴な段階の問題

提起がそのままの形で取り上げられている、ということである。正直のところ、ほとんどまったく記憶にないほど昔の自分の論述を再考することになった。読者の方々にはぜひ、ここで取り上げられている諸著作ではなく、ともあれまずは最新の『世界の独在論的存在構造』だけを（もしその前に入門書が必要なら『哲おじさんと学くん』を、もっと簡単には後に言及する「自分とは何か　存在の孤独な祝祭」を）、もしさらに広げるなら少なくとも今世紀に入ってからの諸著作を、お読みいただきたいと思う。

以上述べてきた諸点を、もしかすると森岡はあまり重視していないかもしれないので、言い方を変えてこの問題把握を繰り返し、私が何を最重要の論点であると考えているかをはっきりさせておきたい。最重要点は、それが無ければ何もないのと同じであるといえるほど超重要であるにもかかわらず、それが在っても無くてもこの世界の実在的《リアル》な記述内容にいささかの変化も生じさせないある特殊な存在が——何故か——存在しないこともありえたのに、いやむしろ存在しないほうが普通であるはずなのに——何故か（ほんとうに何故か）現実にはそして現在は存在している！ということ、この存在論的事実である。第二に重要なことは、この事実は他人に伝えることができない。それどころか、この事実はそのことだけを取り出して記述する（描写する）

こと自体ができない。なぜなら、この事実を記述する際に使われる同じ記述方式を使わなければ他者の存在もまた記述できないからである。すなわち、私以外のだれであれ、第一基準を使わずに自己を他から識別する方法はないのだ。ということはつまり、奇跡的に存在したはずの〈私〉の存在（だけ）を語り出すはずの言葉が、すでに存在していた（またこれから存在するであろう）諸々の自己を語る際にも使わざるをえないありかたをしているのだ。これが第二の重要点である。第一の点は剥き出しの存在論的問題であり、第二の点は真の哲学的（強いて分類するなら言語哲学的）問題である。

1の最後に、これらの点と踏まえて、森岡の以下の記述を批判しておきたい。

> このとき、まさにこの悔しさの歯ぎしりの「それではない！」の叫びによって一瞬垣間見えるもの、それこそが〈私〉であると言える。そして不思議なことに、この悔しさの歯ぎしりの「それではない！」の叫びを表現することによって、〈私〉というものの真の意味が他人へと伝達されることがある。（二四頁）

第一文も第二文もあまりにも文学的な表現で、哲学的な意味が希薄である。哲学的には、悔しさの歯ぎしりの叫びによって一瞬垣間見えるものが〈私〉であるなどとは言えないし、その叫びを表現することによって真の意味が他人へと伝達されるなどとは言えない。たとえそういうことがあったとしても、それは偶然的事実でしかありえない。この問題がどういう意味で伝達不可能でどういう意味では伝達不可能なのかは、問題の本質構造を精確に哲学的に検討することで解明可能であり、ここまでの記述でもその一端は示してきた。この先の議論も、これを踏まえて進めていくことになるだろう。

以下では、森岡の「第3章　〈私〉の哲学を深掘りする」の要所要所を取り上げてコメントしていくことにする。

2　「第3章　1　〈私〉の哲学はどのようにして始まったか」について

まずはこの箇所から。

> しかし森岡の目から見れば、大きな問題点が二つある。ひとつは、〈私〉とは「今これを書いているこの人間である」という箇所である。この命題は間違っている。どこが問

題かというと、「書いている」の箇所が間違っているのである。正しくは「読んでいる」になるはずである。ただし永井はそう考えないかもしれない。なぜなら、森岡がこの箇所について「間違いである」と言うこと自体が、読み換えの運動が正しく働いた帰結であるからだ、と説明される可能性があるからである。（一一九頁）

私には、ここで何が主張されているのか理解できない。私にとって唯一の理解可能な解釈は、この批判はもっぱら森岡の視点から為されており、「読んでいる」人とはすなわち森岡自身で、それが本当の〈私〉だと言っている、というものである。そうだとすると、書き手に対して読み手がこのような表記を直接主張するというのは不思議なことである。これに対して（元の文章の書き手である）私が言えることはただ、もちろん森岡に「とって」はそうだろうが、私に「とって」はそうではなく、この「とって」の対立において、*書き手が自分の立場に立つべきであることはあまりにも自明である、ということである。その時点で私が先回りして未来の読者（である森岡）の視点に立ち、「読んでいる」などと書いたとしたら、私がその時点で端的に偽なることを書いたことになることは誰の目からも（だからもちろん未来の読者である森岡の視点からも）明らかなことではなかろうか。

＊　森岡はどこでも触れていないが、私はこの「とって」をめぐる議論を（時間論との関係も含めて）かなり執拗におこなっているので、詳細を知りたい方はそれらを参照していただきたい。

また、続けて森岡は「この箇所について「間違いである」と言うこと自体が、読み換えの運動が正しく働いた帰結であるからだ、と説明される可能性がある」（一一九頁）と言っているが、読み換えの運動が正しく働いたなら、もとの著者があらかじめ未来の読者の立場に立って「読んでいる」と書くべきであると思うとはとても考えられない。＊

＊　とはいえ、そもそも「読み換え」という考え方自体が私にとってはあまりに古い時代のもので、現在の考え方との隔たりは大きい。

「大きな問題が二つある」と言われたうちのもう一つについては、率直に言って（前注と同様）あまりにも古い！と言うほかはない。私はその後、三十年以上、四十年近くも、この問題をめぐって考察し続け、多くの細密な議論を考えてきているので、いまこれを読めば、どの部分に関しても「何を粗雑なことを言っているのだ！」「すべてはそんなに単純ではない！」という感想が浮かぶだけである。いまこれを整合的に解釈しようとするのは、誰がやっても徒労というほかはないだろう。読者の方々も、このような不明晰な文章を読んで理解しようと頭を悩ますことのないようご注意いただきたい。先に触れた『世界の独在論的存在構造』を始めとして、同じ事柄に関する遙かに明晰で精確な説明がすでに大量に積み上げられているからである。

しかし、その後に引用されている「あらゆる事実をすべて記載した厖大な書物」に「〈私〉についての記述はない」という趣旨の文章（一二〇頁）は今なおその意義を失ってはいない。「〈私〉は実在しない」とはつまり、図1と図2はまったく同じ世界であり、その違いに実在性《リアリティ》を与えることはできない、という意味である。森岡は「レトリカルな書き方である」と言っているが、そうではなく、〈私〉の「非実在性」の主張（およびこのような「実在性」という語の用法）は私の一貫した中心的な主張点である。*

* 何度も繰り返し論じてきたように、この「実在性」の用法は神の存在のいわゆる存在論的証明をカントが（『純粋理性批判』B六二六において）批判した際の用法に由来するものなので、それに従って精確に理解していただきたい。〈私〉に実在性を与える議論については、『世界の独在論的存在構造』における「唯物論的独我論者」等々をめぐる議論において詳述されているので、ぜひ参照していただきたい。

次に、それに続く「〈私〉が永井ではなくなる」可能性があるかどうか、「永井が〈私〉ではなくなる」可能性があるかどうか、の議論については、〈私〉の連続性はいかにして成り立つか、という（さきにちょっと言及した）カント原理にかんする議論を検討しないと精確な議論はできない。結論的にいえば、カント原理の名の通り、カント自身に由来する議論に基づいて、この連続性はもっぱら人物（ここでは永井）の内的な繫がりの側が担うことになるので、「〈私〉が永井ではなくなる」という表現は（あたかも〈私〉がむき出しで持続できるかのように思わせる点で）まったくのナンセンスであることになるが、「永井が〈私〉ではなくなる」のほうは、先の二つの図において、図2の世界が図1の世界に突然変化することだと考えれば（この二つの図の表す世界が異なる世界であるという意味が理解できた以上は）まったくのナンセンスであるとはいえないことになる。*

＊ ただし、それはこの二つの図の間に時間的な関係を設定することが有意味でありうるという前提のもとにおいてであり、この前提は時間というものがどのように作られていると考えるかに依存している。いかなる実在的関係とも独立な絶対時間のようなものを想定できるなら、それはナンセンスとはいえない。その前提を取り外した場合、「彼に述定されるあらゆる性質が同じなのに彼が〈私〉ではないことは想定可能」だとはいえても、「彼に述定されるいかなる性

質も変化させることなしに、彼が〈私〉でなくなることは想定可能」だとはいえないことになる。〈私〉は「なる」という事実を成立可能ならしめる実在的関係に対して完全に無関与的なあり方をしているので、「なる」関係には入りえないと考えられるからである。

次に、森岡にとっては中心的な主題であると思われる、「「〈私〉は人物〇〇である」と「人物〇〇が〈私〉である」のうち、前者は問題なく使える命題であるが、後者はそもそも意味のない命題なのではないか」（二二四頁）という点に話を移そう。森岡によれば「そのことは、人物〇〇と、この文章を読んでいる読者が別の人間であるときに顕著になる」とのことで、次のように言う。

いまこの文章を読んでいるのは山田花子であると仮定しよう。そのうえでまず「〈私〉は東京太郎である」という命題を考えてみる。これはこの文章を読んでいる山田花子にとっては偽である。しかしその命題の意味を理解することは可能である。すなわちこの命題は、もし仮に山田花子の身体と精神の特徴が東京太郎の身体と精神の特徴に瞬間的に変わったとしたら、そのあとで成立しているであろう事態として、その意味を理解することが可能である（山田花子が東京太郎に「なる」ことが問われているのではないことに注意）。では「東京太郎が〈私〉である」という命題についてはどうだろうか。ここでは、東京太郎という身体精神統合体の存在が最初に措定されていて、その存在が〈私〉なのか〈私〉ではないのかということが問われている。これを山田花子はどう理解するであろうか。森岡の答えは、山田花子はこの命題の意味をけっして理解できないし、理解できてはならないというものである。山田花子は「東京太郎が総理大臣である」とか「東京太郎が火星である」などのあらゆる命題を反事実的に解釈してその意味を理解することができるが、「東京太郎が〈私〉である」という命題だけは理解することができない。なぜなら、述語部分の「〈私〉である」は、何か別の述語部分と入れ替わるような形で代入できるものではないからである。（二二四－二二五頁）

これに対して、私はこう思う。山田花子から見て「〈私〉は東京太郎である」という命題は偽だが理解可能であるという点には（別の問題を介入させないために）賛同しよう。しかし、「この命題は、もし仮に山田花子の身体と精神の特徴が東京太郎の身体と精神の特徴に瞬間的に変わったとしたら、そのあとで成立しているであろう事態として、その意味を理解することが可能である」という点はまったく賛同できない。そもそも「山田花子の身体と精神の特徴が東京太郎の身体と精神の特徴に瞬間的に変わる」ということが何を意味するのか、私にさっぱりはわからない。山田花子が消えてその場所に東京太郎が現れるという意味であろうか。そうすると山田花子から見て「〈私〉は東京太郎である」という事態が成立するというのだろうか。なぜそんなことがいえるのか、私にはさっぱりわからない。また、ともあれ山田花子の身体と精神の特徴が東京太郎の身体と精神の特徴に瞬間的に変わるのであれば、それは山田花子が東京太郎に「なる」ということなのではないのか。しかし、その直後でそういう理解が否定されている。「(山田花子が東京太郎に「なる」ことが問われているのではないことに注意)」と。とすると、これがどういう事態の想定なのか、私にはそもそも理解ができない。理解ができないにもかかわらず、私がこの主張に賛同できないことはわかる。というのは、私の理解では、山田花子から見て「〈私〉は東京太郎である」という命題は偽だが理解可能であるというのは、そもそもこの種のことがらを意味しているのではないからである。それは、山田花子がただ東京太郎からだけ開けている世界の存在を（おそらくは現に自分から開けているこの世界と重ねて）想定することができる、ということを意味している。[*]このとき、東京太郎は少しも山田花子の身体と精神の特徴を持つ必要などはない。

＊ これは、先の図でいえば、図2の□が（いったん図1にもどって）▲が△である世界を（図3として）考えればよく、それは、図1と図2とを概念的に理解できた以上、必ず理解できるのでなければならない。図3とは、▲の眼からだけ現実に世界が見え、▲が殴られた時だけ現実に痛く、▲の記憶だけが現実に思い出せる、…ような世界である。私見では、真の問題が始まるのはこの「現実に」の理解をめぐってであり、それは（おそらくは）森岡が論じているような事柄とはまったく関係がない。

理解できないながらも、森岡の言いたいことを忖度してみると、「山田花子の身体と精神の特徴が東京太郎の身体と精神の特徴に瞬間的に変わったとしたら、そのあとで成立しているであろう事態」ということで、そういう場合にも〈私〉が、人物持続の諸条件（人格同一性の諸基準）とは無関係に、ただそれだけで（剝き出しで）持続しうる、と森岡は考えているのではないかと疑われる。この疑念は、後の「転校生とブラック・ジャック」の思考実験にかんする森岡の見解を読むとむしろ強められることになる。しかし、それはいくらなんでも素朴すぎる見解だろう。カント原理の優位性の議論や『存在と時間――哲学探究1』における「安倍晋三になる」ことをめぐる議論において、そういう素朴な感覚が一種の錯覚にすぎないことを、私はかなり執拗に論じてきた。持続をめぐるこの系統の私の議論について、森岡はなぜかまったく触れていない。

次に「東京太郎が〈私〉である」の場合を考えよう。森岡の言う通り「ここでは、東京太郎という身体精神統合体の存在が最初に措定されていて、その存在が〈私〉なのか〈私〉ではないのかということが問われている。」そして、「山田花子はこの命題の意味をけっして理解できないし、理解できてはならない」と森岡は言う。私は森岡と違って、山田花子はこの命題をなんの問題もなく理解でき、理解できるのでなければならないと思う。それが理解できなければ「〈私〉である」ということの意味自体が理解できないからだ。森岡の理解とは異なり、「東京太郎が〈私〉である」と「〈私〉は東京太郎である」とは、どちらも同一性命題なので、その理解内容は同一である。その後に森岡が言っている「山田花子は「東京太郎が総理大臣である」とか「東京太郎が火星である」などのあらゆる命題を反事実的に解釈してその意味を理解することができるが、「東京太郎が〈私〉である」という命題だけは理解することができない。なぜなら、述語部分の「〈私〉である」は、何か別の述語部分と入れ替わるような形で代入できるものではないからである」は、私には意味がわからない。「何か別の述語部分と入れ替わるような形で代入できるものではない」の意味がわからず、それができないことがなぜ「東京太郎が〈私〉である」の意味がわからないことに通じるのか、まったく理解できない。

次に森岡は、こう言っている。

> では「〈私〉は山田花子である」ような状況下で、「山田花子が〈私〉である」と言えるかどうかであるが、森岡はそれもまた不可能だと考えている。「〈私〉」はそもそも命題の述語部分に置かれ得ないのである。それが「独在性」の意味するものである。すなわち、〈私〉はすべての可能性を唯一者として貫通して必ず主語の位置に入ってしまうのである。（中略）少なくとも言えるのは、独在性が問題となるときには、可能性の豊かさが大幅に縮減されるということである。「〈私〉は〇〇である」という可能性はたくさん措定できるのだけれども、「〇〇が〈私〉である」という可能性は措定し得ない。それは「四角形は丸い」という可能性を措定し得ないことと似ている（同一とは言えないとしても）。

森岡の言いたいことを私が理解できているかどうかはわからないが、少なくとも私の独在性理解との違いははっきりしている。なぜなら、このような理解の仕方では、1で説明したような、私にとって最も重要な〈私〉の存在という問題が中心的な問題ではなくならざるをえないことは明らかだからだ。これはまた、私が非常に高く評価したウィトゲンシュタインの冠の比喩の問題提起とも相容れない。最重要のポイントは、冠はあくまでもすでに完結した形で存在しているチェスゲームとそれを構成する駒の上に（ただ）被せられる、という点にある。それはすでにそれだけで完結しているチェスゲームの全体にとって外的な関係しか持たない「余計なもの」なのである。ここがキモである。私の見るところでは、森岡の独在性理解はこのような私の独在性理解とは逆の、超越論哲学の「超越論的主観性」の考え方の伝統に近いように思われる。もっと悪く言えば、それによって批判されている「合理的心理学」や「心理主義」の同類のようにも見える。いずれにせよ、それらは私がはっきりと拒絶している（超越論性についていえば独在性からはっきりと分離して別の問題であると捉えている）考え方である。

それに続けて森岡はなぜか、他人の心の問題についての私の記述を取りあげて、「賛同したいと思う」と言う。しかし、取り上げられた議論はここでまで論じられてきた問題の深度とは相容れない表層的なものであり、また現在の私から見ればまったくつまらない議論である。こうした点についても、先に触れた「唯物論的独我論者」（や「東洋の専制君主」）をめぐるもっと遥かに本質的な議論がその後に為されているので、読者の方々には是非そちらを精読していただきたいと思う。

3 「第3章 2 〈私〉の哲学の展開」について

冒頭で森岡は、「他人の心についての永井の考え方は、一九九一年に刊行された『〈魂〉に対する態度』で大きな進展を見せる。永井はまず、「他人」と「他者」を区別する。…」と書いている。私がまず思うのは、一九九一年刊といえばちょうど三十年前であり、収録論文はみなそれ以上前の一九八〇年代のものである。私は現在六九歳であるが、これは三〇歳台のものである。同じ主題について考察し続けてきた者にとっては、これはその上に何重にも修正の上塗りが施された原画が掘り起こされたようなもので、すべての修正は必然性があってなされたものである以上、いまそれについて論じられても、懐かしいという以外の感想を持つのは難しい。言えることはただ、きわめて多くの重要な修正が施されて、もはや原型は意味を無くしている、ということに尽きる。

ただ一点、少し興味深い点は、森岡が問題にしている「他者」は、現在の私の観点からすれば、ちょうど先ほど論じた「東京太郎が〈私〉である」というあり方に対応している、という点である。図解で言えば、▲が△である世界が考えられ、□から見ても、▲を他者として捉えている以上、そういう世界が図2の世界と重なって考えられることは（たんに可能であるだけでなく）いわば暗に前提もされていることでもあるわけである。この辺りの議論については、現在「ｗｅｂ春秋」に連載中の「哲学探究3」において極めて詳細に論じているので、そちらを参照していただけると有難い。森岡は「「唯一の原点たるこの私」というものを語れるためには、「唯一の原点たるこの私」ではないけれどもそれと同じくらいの深さでもって存在していると考えられる「他の」この私というものが、暗黙の前提として予想されていなくてはならないというのが大事な点なのである」（一二八頁）と言っているが、その「同じくらいの深さでもって」を精確に捉えなおすなら、自分のあり方を図2として捉えることができた以上、その形式を他者たち（●や▲や◆や…）にも認めうることがすでに前提されている、ということとなる。論点はただ、「同じくらいの深さ」であるのはその中心性についてであって、その現実性については、「同じくらい」どころか存在と無の断絶という決定的な断絶がある、という点にある。ここで本質的な論点はただ一つ、すでに指摘したように、その現実性には累進構造があるということに尽きる。その後に森岡はこれを「暗黙知の次元」とか「想像」とかと表現しているが、われわれが論じているこの（他のいかなる問題にも似ていない）特殊な問題を論じる際に、そのような別の経験的内容をもった語で置き換えることには非常に慎重であるべきだと思う。

その後の、かつて私が描いた図をもとに森岡が作成した図も、それに基づく議論も――森岡のものも、かつても私自身のものも――現在の私から見れば、無意味であるといわざるをえない。そのことを、その図（本書一三二頁）を使って説明していこう。〈私〉がエリザベス二世である世界は（先に説明した意味で）考えられるが、それはこの図が描くように、〈私〉というものがまずあって、それが永井になったりエリザベス二世になったりするようなことではない。その意味では精確にはむしろ、この可能性は「エリザベス二世が〈私〉である」と表現されるべきものである。また、その〈私〉であるS１と並んで、それとは別にS２やS３が存在すると考える必要もない。この図を前提にして語るなら、「〈私〉はエリザベス二世である」という可能性（もちろん精確には「エリザベス二世が〈私〉である」であるべきだが）が有意味であるならば、それで十分であり、そのほかに「S２はエリザベス二世である」とか「S３はエリザベス二世である」などという可能性を考えるのは余計である。事実を描写するために必要最小限な存在論だけを提唱すべきであり、それを超える「お話」はできる限り排除しなければならない。そうしないと、提唱している存在論がなぜ必要不可欠なのかというそのいちばん肝心な点が曖昧になってしまうからである。

「だが振り返ってみれば、私たちは親しい人たちと生活をするときに、ちょうどそのような矛盾したリアリティを生きているとも言える。転んで泣いている子どもに声をかけて抱き起すとき、その子どもに他の〈私〉が存在するという語義矛盾そのものを、〈私〉はリアルに生きてしまっている」（一三四頁）といった話は、〈私〉の存在論とは関係ない、人間の心理的事実についての話にすぎない。子どもに他の〈私〉が存在することを想定するとしても、それは《私》の成立という問題であり、その論理的な仕組みを精確に論じるべきであって、そこに「転んで泣いている子どもに声をかけて抱き起すとき」のような情緒的な事柄を混入させるべきではない。また、そうしたものを混入させて成立した事態に「矛盾」を見るべきでもない。そのようなことをしてしまえば、独在性という哲学上の問題に内含されている真の矛盾を曖昧にしてしまうからである。*

* ただし、私が独在性という問題に内在する「矛盾」に注目したのは、マクタガートを詳しく検討した後であるから、比較的近年のことである。少なくとも二〇一〇年代に入ってから後なので、この時代の議論には全く関係していない。現在の私にとっては、矛盾の問題こそが最も中心的な問題である。

しかし、森岡がその問題との繋がりで言及している「否定神学的」議論の問題は、今なおその重要性を失ってはいない。とはいえ、ここでもやはり、否定神学的議論一般とこの問題に固有の不可避的な否定性とは精確に区別されねばならないだろう。森岡が引用している「〈私〉とは、「私」の用法をめぐる議論において生起するあらゆる問題からの違背を示す記法なのである。そして、それがなぜそのような否定によってしか示されえない場所にあるのかは、究極的には謎であるし、謎でしかありえない」という私の主張は、言い方には曖昧な部分（とりわけ「あらゆる問題からの」の部分）があるとはいえ、基本的にはいまもそういえると思っている。これはつまり、〈私〉の存在の「第一基準」が、一方ではあらゆる人が自分を識別するために不可欠な方法の描写である（あらざるをえない）のと同時に、そのような仕方で自分を識別しているあらゆる人の中から唯一の現実の〈私〉を識別する方法の描写でもある（あらざるをえない）という二重性に由来する問題である。その場合、第一基準をどう表現してもそこに必ず含まれることになる「現実に」が真に最終的な現実性そのものを意味する場合と、（概念的に非現実性から区別された）概念としての現実性を意味する場合との、「現実に」の二義性（そしてさらにその二義性から累進的に発生する多義性）が決定的な役割を果たすことになる。それが「否定神学的」に見えるのは、その基準が「そのような仕方で自分を識別しているあらゆる人の内から唯一の〈私〉を識別する方法の描写」として理解されるためには、それを「あらゆる人が自分を識別するために不可欠な方法の描写」として理解される場合の否定として捉えてもらうほかに方法がないからである。*

＊　文字通りの神学的議論において「否定神学的」表現が不可欠であるのは、超越者の存在を語る際にはこの現実性の累進構造に絡み取られることが避けがたくなる、という一般的な理由によるものだと思われる。

とはいえ、事実はむしろ逆であろう。第一基準が「あらゆる人が自分を識別するために不可欠な方法の描写」だと理解できるのは、それが「あらゆる人の内から唯一の〈私〉を識別する方法の描写」だと理解できるからであって、その逆ではありえない。神学の比喩をそのまま使っていえば、神が先に存在しており、それのみを語る言葉も存在していたのに、後にそれらが他のものごとを語るのにも転用されたため、もとのものを語るにはその転用用法の否定としてしか語れなくなってしまった、というのが実情であろう。先に神の存在を知っていなければ、そこから転用された言葉の使い方が理解できるはずはないのだ。

森岡の論述は、この議論が含まれている一九九八年刊行の拙著『〈私〉の存在の比類なさ』、次には二〇〇一年の『転校生とブラック・ジャック』、というように進んでいくのだが、それにしてもなぜ、森岡はこのような編年体の記述の仕方の仕方を採用したのであろうか。思想形成史的研究が必要なわけでもないので、少なくともこのあたりまでの（二十年以上前の）著作はすべて無視して、いきなり最近の著作に的を絞って論じてもらったほうが、余計な回り道を経ずに直截に哲学の議論そのものに入れたのに、と惜しまれる。

ここでは森岡の論述の順序に従って、次に『転校生とブラック・ジャック』について考察しよう。この本の主要な部分はパーフィットの火星旅行について多様な観点から論じていく後半部であり、そちらには〈私〉の持続をめぐる遙かに重要な（現在でも意味を失っていない）数々の議論が含まれているのだが、森岡が取り上げているのはなぜか「転校生とブラック・ジャック」という表題作である。状況設定は森岡がくわしく紹介しているので、繰り返さない。

森岡は、そもそも〈私〉そのものが剝き出しで持続できると考えているようなので、その問題を念頭に置いていないのだが、この表題作がパーフィットの火星旅行を論じる主要部分とは別の意義をもつ点は、記憶の変化を記憶することは可能か、という問題にかかわる点である。次郎の身体になった太郎にさらに次郎の記憶が植え付けられていくプロセスを、太郎は経験できると想定した場合、もしそのようなメタ記憶が可能であるなら、もとの太郎の身体（の時空連続体）が〈私〉であり続けるとみなすことも可能ではあろう。しかし、そんなメタ記憶が可能であって、そんなものに存在し続けられてしまったら、彼は次郎の記憶を持てない（＝次郎になれない）ではないか。この思考実験が彼（太郎の身体の時空連続体）が次郎になるという想定である以上、記憶が植え替えられたプロセスの記憶は最終的には削除されねばならないことになる。ここで興味深い問題は、このようなメタ記憶が論理的に可能である（矛盾なく想定できる）か否か、そして可能であった場合、彼は誰であるなのか、である。この問題は依然として興味深いと私は思うが、「転校生とブラック・ジャック」という思考実験にかんして、私が今なお興味深く感じる論点はこれだけである。

森岡はまず、「〈私〉は太郎である」という想定をした場合、その太郎の体も心も次郎のそれらとなったとき、「〈私〉から見たときに、自分の体は次郎と呼ばれてきた人物の体であり、自分の精神は次郎と呼ばれてきた人物の精神である、という状態が出現する」と言っている。「そのときに出現しているのは、〈私〉は次郎であるという状態である」と。なぜ〈私〉という世界の開けの原点が、体の形相にでも心の連続性にでもなく、時空連続体としての身体に付随すると考えられているのか、根拠は書かれていない。この議論には森岡自身の（おそらくは風変わりな）直観以外には特に根拠はないと思う（少なくとも書かれていない）。

その後に、〈私〉が剝き出しのまま世界に「ピン止め」されうるという議論が登場する（一四〇頁）が、これはいわば注文通りに典型的なカント的「誤謬推理《パラロギスムス》」ではないだろうか。「誤謬推理」を離れても、この種のむき出しの「ピン止め」に類することを許容する方法はないのだという
ことこそが『純粋理性批判』の根本主題であり、少なくともその点に関しては成功しているというのが現代の共通理解ではないだろうか。現代の哲学においては、カントの論証を振り返るまでもなく、このような「ピン止め」の不可能性は広く認められているように思われる。これに反することを主張するには、そこだけに的を絞って新たな強力な議論を構築する必要があるだろう。*

＊ 私の多くの議論もこのカント的な制限を当然の前提とみなしたうえで構成されている。森岡のように、あたかも〈私〉という名の存在者が（たとえば太郎という名の存在者と並んで）普通に存在しており、それが種々の意味での「太郎」が持つ様々な持続基準とは独立にそれだけで持続できるというような考え方は最初から排除されている。もし〈私〉が持続しうるとすれば何に拠ってであるか、は議論すべく課せられた最重要の課題である。

次に森岡は、「〈私〉は太郎である」ではなく「太郎が〈私〉である」と想定した場合を考えている。ここで森岡が何を言っているのかよく理解できないのだが、私に理解しえたかぎりで

は、この議論は驚くほど間違いだらけであるように見える。まず、森岡は「このときに現実世界にピン止めされるのは「太郎」である」と言うが、現在の文脈においては、これは意味不明の言明ではなかろうか。この議論においては、太郎の身体の形相も心の連続性としての太郎も時空連続体としての太郎もみな「太郎」なのだから、そのどれに「ピン止め」されるのかがこれだけではわからないだろう。これはまさにそういうことが問題にされている（そのためにわざわざ作られた）思考実験なのに、「太郎である」というだけで何か確定的なことが言えているように森岡が考えているらしい（そしてなぜか時空連続体としての「太郎」を指すに決まっているかのように考えているらしい）のがまずは非常に不思議である。

森岡はまた「手術が終わって、「次郎が〈私〉である」という状態が出現する」と断定している。しかし、なぜそんな（驚くべき！）ことが断定できるのか。たしかに、〈私〉がピン止めされた場合には「〈私〉は次郎である」が帰結するというのが森岡の主張ではあったが、かりにそれを前提にするとしても、そのことを根拠に、「太郎」がピン止めされた場合には「次郎が〈私〉である」が帰結するなどどうしていえるのだろうか。現に森岡はその後の記述では、「ピン止め」がし直されるという考え方に不審の念を表明している。それならばむしろ、「ピン止め」されるのが「太郎」であると考える人は、そのこと（ピン止めのし直しなどおかしいということ）

を根拠に、「次郎が〈私〉である」ことになどならないと考えるだろう、とみなすほうが普通ではなかろうか。森岡はなぜか、この場合にも「次郎が〈私〉である」という状態が実現することを当然のこととみなしたうで、太郎がピン止めされると考える立場ではその結果が説明できないと批判しているように読めるが、これは不思議な議論の進め方ではなかろうか。相手が言いそうもないことを（自分自身の見地から）相手にも押し付けておいて、相手の立場ではそれがうまく言えないと言って相手を批判しているのであるから。

しかし、そのような議論に即した細かい点を挙げていくまでもなく、哲学的思考そのものの観点からして、そもそも「ピン止め」という発想自体が、この種の問題を論じている場面では、いくらなんでもあまりに素朴すぎないか。そういうことはできないのだということこそが、先に触れたカントの「誤謬推理」の議論であった。もし現代においてそれを主張したいなら、この場合の「ピン」とは何であり、それによってなぜ「止める」ことができるのか、という点から根源的な議論が構築されねばならないだろう。森岡は「まさにこの思考実験において、「〈私〉は太郎である」と「太郎が〈私〉である」がまったく異なった事態を指しているということが、明らかになるのである」と言うが、「ピン止め」の可能性（という哲学の伝統においてすでにして大いに疑われ批判されてきたこと）を素朴に前提したこのような議論によっては、そもそも何かが明らかになることはありえないように思われる。

「〈私〉は太郎である」にせよ「太郎が〈私〉である」にせよ、いずれにせよ、ブラック・ジャックの手術の結果として「〈私〉は次郎である」や「次郎が〈私〉である」という事態が成立すると考えるのは、このあまりにも素朴な前提を排除して、この思考実験の深度に即して（十分に懐疑的に）考察するなら、森岡自身の（やはり素朴なあるいはむしろ風変わりな）直観以外には、何の根拠もないように思われる。これに比べれば比較的ましだといえるのは、〈私〉は心の連続性としての太郎に（すなわち太郎の記憶に）付随する、と考える方向であろう。その根拠は、記憶というものは本質的に《私》の連続性を構成することで成り立つものであるから、未来に成立した（時空連続性の観点からはもとは次郎であった）新しい太郎が過去を思い出した場合、この話においては過去において〈私〉であったと想定されているその太郎のことを、必ず《私》として捉えることになるから、にすぎない。それ以外の意味では、ブラック・ジャックの手術後の世界において現実に〈私〉であるのは誰か？などという問いは、そもそも意味の与えようのない問いである。こういう問題場面では、自分の直観を直接に適用して何らかの形而上学的主張してみても始まらない。自分の素朴な直観はどこまでも考察の対象とされなければならない。

森岡の次の議論は、「この本をいま読んでいる読者が「太郎」だったと仮定する」ものである。このとき、「〈私〉は太郎である」は読者にとって正しい命題であり、そして読者は、「〈私〉は太郎ではない」とはどういう状態であるかを〈私〉であり続けながら想像することができる、と言う。しかし、「太郎が〈私〉である」の場合は、読者は「太郎が〈私〉ではない」とはどういう状態であるかを想像することができない、と言う。なぜなら「読者である太郎は「太郎がここから世界が開けている唯一の原点ではない」とはどういう状態かを、太郎であり続けながら想像することはできないはずだからである」と。

これまた私には、森岡が何を言っているのかほとんど理解できない。無理に理解しようとすると、これまたどこから指摘していったらよいのか迷うほど間違いだらけの議論としか思えないのである。仕方がないのでそれを、順不同に、思い浮かぶままに、書いていこう。

①読者が「太郎」だったと仮定し、そのとき読者にとって「〈私〉は太郎である」が成立するとは、約《つづ》めていえば「読者が〈私〉である」と想定している、ということではないのか。森岡はそういうことはできないと（理由は私には理解できないが）言っているのではないのか。この議論において、いつの間にか森岡は「読者」の側を「ピン止め」してしまってはいないか。（もちろん私自身はそれは問題なく可能であると考えているが、私の場合には、この種の媒介を経た場合

の〈私〉は「にとって」つきの〈私〉、すなわち《私》、として扱われることになる。）

②森岡は「〈私〉は太郎である」と「太郎が〈私〉である」を対比し、前者の場合には、「〈私〉は太郎ではない」とはどういう状態であるかを「〈私〉であり続けながら想像することができる」が、後者の場合には、「太郎が〈私〉ではない」とはどういう状態であるかを「太郎であり続けながら想像することはできない」と言う。しかし、単純に考えて、前者の場合に、「〈私〉は太郎ではない」という状態を「〈私〉であり続けながら」想像できたなら、それはそのまま「太郎が〈私〉ではない」状態を想像したということではないのか。どこが違うのか私にはわからない。それはつまり「太郎が〈私〉である」状態において「太郎が〈私〉ではない」状態を想像したということだろう。そもそも私には「太郎が〈私〉ではない」状態を「太郎であり続けながら想像する」ことはできないという森岡の主張が何を言おうとしているのかさっぱりわからない。想像しているのだから、実際には太郎であり続けているのはむしろあたりまえのことであり、そのあたりまえさは出発点を「〈私〉は太郎である」と捉えようと「太郎が〈私〉である」と捉えようと変わりがないだろう。

森岡はこれを説明して、「なぜなら「太郎がここから世界が開けている唯一の原点ではない」という想像をいくら行なったとしても、その想像は「ここから世界が開けている唯一の原点」

からなされるほかはなく、その想像内容は「ここから世界が開けている唯一の原点」によって決定的に侵食されてしまうからである。」（一四二頁）と言っている。これについてはすでに言った通りである。その想像がいかに「ここから世界が開けている唯一の原点」からなされるほかはなくとも（それは自明なことだろう）、想像である以上、その想像内容が「ここから世界が開けている唯一の原点」によって決定的に侵食されてしまうことはありえない。なぜなら、そもそも想像とは事実に反することを思い浮かべることなのだから。もしかりに何かをいくら想像しようとしてもその想像内容が現実の事実によって侵食されてしまうということが起こったならば、それはたんなる事実問題、この場合なら想像力の力不足という心理的事実の問題であって、ここで論じている哲学的・形而上学的問題とは関係のない事柄である。これが哲学の通常の思考法である。

③これに関連して、もしかすると森岡は「想像する」という心理的事実のもつ事実的な特質に引きずられて事態を形而上学的に精確に把握することができなくなっているのではないか、という疑いを持った。いま論じているような形而上学的問題にとっては、そもそも心理的事実として想像が可能であるかどうかといったことは本質的な問題にはなりえない。考察がどうしても心理的事実としての想像行為の特質に引きずられてしまう場合には、事実的要素を排除す

るために、「想像する」のはやめて、それを「想定する」や「思考する」といった事実的な特質の少ない抽象的な概念に置き替えてみるべきであろう。ただし、この場合でも思考や想定を事実的に制約している事実問題は完全に度外視しなければならない。この意味での想像と思考の違いは、前者が感性的な制約を受けるのに対して、後者は論理的な制約しか受けない点にある。たとえば、一〇八段の階段を想像するのは難しく（おそらくは不可能であり）その想像は一〇九段の階段の想像と区別がつかないだろうが、一〇八段の階段を考えることは容易であり、それは一〇九段の階段の思考から、その思考そのものにおいて、截然と区別されていざるをえない。形而上学的問題の考察にはしばしば思考実験という方法がとられるが、その際、思考実験は（事実としては想像によって担われる部分が多いにもかかわらず）その本質があくまでも思考実験であって決して想像実験ではない（という哲学の方法にかんする初歩的な確認事項はどんな場合にも忘れられてはならないだろう）。

その他にも指摘可能な問題点はありはするが、本質的にはこれで尽きていると思う。これに続く「翔太が〈私〉である」に例を替えた議論に、特に付け加えるべきことはないように思われる。

4 「第3章 3 森岡の「独在的存在者」の概念」について

「独在性の四原則」については、これは森岡独自の主張であり、私の主張に対するコメントではないからここでは論評しない。その意味では『まんが 哲学入門』における「独在的存在者」の指示の仕方にかんする提案も、とくに論評の必要がないともいえるが、こちらについては、関連して私の主張についてのコメントもあるので、簡単に私見を述べておきたい。

森岡は「次のまんがイラスト（図2）によって直接的に指示されている者が、独在的存在者である」と言っている。しかし①それによって直接的に指されるのはその本を読む（そのイラストを見る）読者だけであり、そして読者のすべてである。そうでしかありえないであろう。森岡はこれを「二人称的確定指示」と呼ぶが、これでは指示は「確定」しないではないか。②すべての読者が（そして読者だけが）指されるのだから当然、〈私〉ではない他の人々も指されることになるだろうが、彼らも〈私〉と並んで「独在的存在者」であることになるのだろうか。③いま私はパソコンを見ており、そのイラストを見ていないが、今それを見ている人もいるだろう。そうすると、私ではなくその人たちが独在的存在者であることになるように思われるが、それは独在論の本質に反しないか。私ではなく彼ら彼女らが独在的存在者である理由は（たまたまそのイラストを見ているという以外に）何かあるだろうか。ないとすればイラストが独在性を（自覚させるとか意識させるとかではなく）作り出すのだろうか。④それとも、そのように考えるべきではなく、そのイラストを私が見た時には私が指されることになるが、そういう直接経験が成立する場合だけを考えるべきなのであろうか。しかし、もしそうであるなら、その区別は私であるかないかによってなされるのだから、私はべつにそのイラストを見る必要がないだろう。見なくてもいつもこいつだけが独在的存在者であることを知っており、イラストを見てそこに新たに付け加わるのは、その事実の強調とか知的理解とか何かその種のもので、いずれにせよ私以外の人にも起こる要素であろう。⑤森岡の主張は私には、時計が存在するから常に〈今〉が「確定指示」される、と言っている（のと同じ）ように聞こえる。時計には（時計的に見られうる全事象には）じつはその機能がない、その機能はその仕組みの外から（いきなり＝仕組み外的に＝たんなる現実性として）持ち込まれるほかはない、したがって持ち込まれたそれをも考慮に入れるとそこに「矛盾」が内在することになる、ということこそがここで提起されている問題であるはずなのだが。
⑥さらに疑問点を続けるなら、森岡はこれを「二人称的確定指示」と呼んでいるが、という

ことは一人称の指示者が想定されていることになる（ここでは絵で表現されているが）。すると世界はまずはその人 (person) から開けていることにはならないのか。「独」在するとされているのに第二の人物（the second person）であるのは何故なのか。そして、第一の人物（the first person）はだれで、その人 (person) はなぜ（第一なのに）「独在的存在者」ではないのか。関連して私見をちょっと差し挟むならば、だれであれ他者が「独在的存在者」を指すことなどはできない、神でさえそれは不可能である、という議論を私は何度か提示してきた。*

* 森岡の発想を、私にとって意味のあるものに勝手に変形してよいなら、この指示者は独在的・無人称的・世界的な指示者である、としたい。「神」であるとしても、万人に共通の神ではなく、〈私〉にとってだけ存在する神であり、それは、〈私〉がたまたま受肉しているこの人とは独立に存在するが、この独在的世界と相関的にしか存在しない、独在性の世界的・客観的な成分である。無人称といったが、これを独在的二人称といってもよい。第2章の対談の中で森岡自身が言っている、本質的に「口」のない（要らない）他者である。しかしもちろん、独在的存在者の成立にとって、そのようなものが必要なわけではない。

その後も私には理解できない議論が続くが、全部拾っていく余裕はないので、とりわけ（森岡にとって）重要性がありそうなものを拾っていこう。まずはこれ。

イラストの指差しによって指示された者は、独在的存在者が誰であるのかを単なる直観によって把握している。もちろんその直観はまったく正しいのであるが、その単なる直観が真理として確証されるためには、周りの人たちによって「そうではない」と否定される必要がある。その否定を経ることによって、単なる直観は、疑いようのない真理へと格上げされるのである。この意味において、独在的存在者が誰であるのかは、まさに公共的に確証されていくのである。ここには、言語化されたものが公共的に否定されることによって、当初の直観が真理として確証されるという構造がある。独在的存在者の在り方や性質を独在性と呼ぶのであったが、独在性は公共性によって確証されるのである。独在性は二人称的確定指示を契機とした直観によって浮かび上がり、公共性によって確証されると言ってもよいだろう。（一五四頁）

否定を経ることによって単なる直観が「疑いようのない真理へ」と「格上げ」されると言われているが、それは何故なのか、なぜその否定が必要なのか、この断定だけでは誰にもわからないだろう。もちろん、私にもわからない。

次に「補足的に追加」されている点について。

> まんがイラストの指差しによって誰かひとりだけが指示されているとしても、まんがイラストを見るすべての人はそこで指示されたのは自分自身のことだと思うわけだから、すべての人は自分自身を独在的存在者であるとみなすことになってしまう、というふうにもし読者が思ったとしたならば、読者は例の読み換えの運動の罠に見事にはまったのである。その理由はもう繰り返さなくてよいだろう。(一五四頁)

なぜその理由はもう繰り返さなくてよいのか、そもそもなぜこれが「罠」なのか、まったく理解できない。「…すべての人はそこで指示されたのは自分自身のことだと思うわけだから、すべての人は自分自身を独在的存在者であるとみなすことになってしまう」と読者が思うのは当然のことで、もしそう思わない読者がいたなら、よほど読解力がないか、よほど変わった読み方ができるか、どちらかであろう。また、ここに何か「読み換え」と呼ばれるべき事態が生じているとは思えない[*]。私の現在の考え方に変換して解釈するなら、先の④で指摘したように

●累進構造図

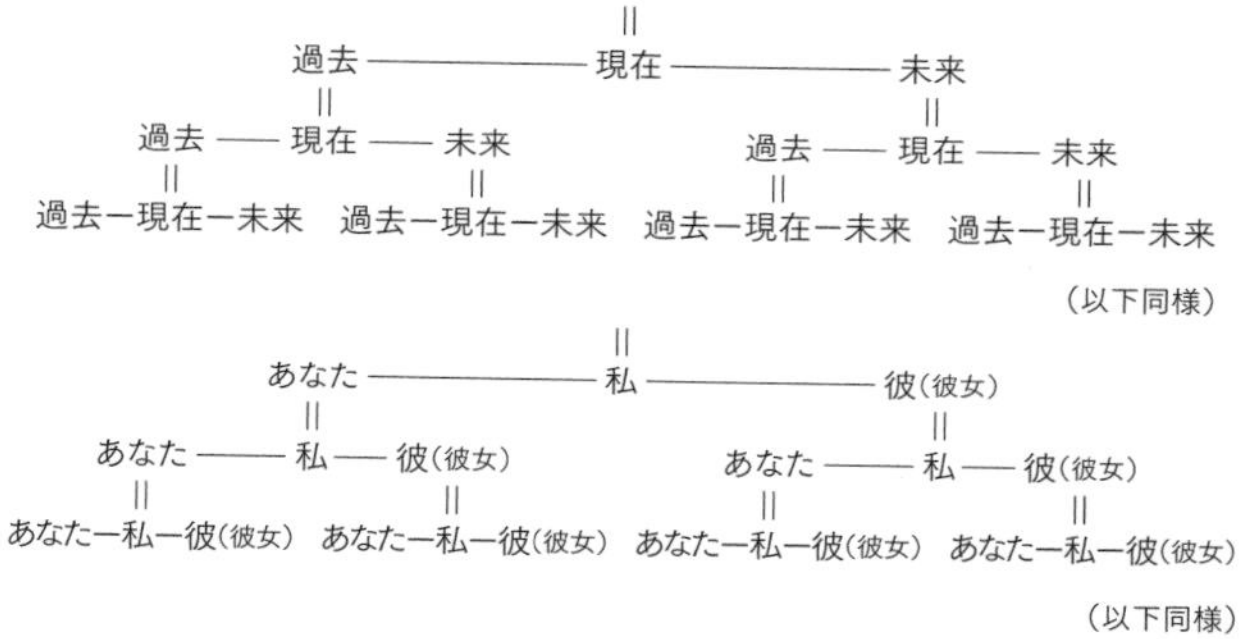

この「指し示し」の方法それ自体に累進構造図の最上段を指す力が備わっているわけではないのだから、それが最上段の問題から中段における相対的関係の問題へと変質するということは、ここには介在する余地がないからである。

＊ むしろ、森岡のこの議論それ自体が「読み換え」の運動によって成立している、とならいえるかもしれない。森岡はこの指し示しによって「独在的存在者」が指し示されていると思っているのであろうが、それが読者に伝わった時には、複数の読者に対等に伝わらざるをえないのだから、そこにはすでに「読み換え」が働いている、というように。

次に森岡は、「全宇宙において成立しているあらゆる事実をすべて記載した厖大な書物」を想定した場合にも、その書物の中には『まんが哲学入門』の「あなたなのです!!」のページも含まれているはずだから、そのイラストによって〈私〉の場所が確定指示されるという主張を展開している（一五五－一五六頁）。

これもまた私には意味のわからない議論なのだが、もしその書物にこのイラストそのものが含まれており、その書物のその箇所を見る者がいる、という主張であるとすれば、それは先に⑤として述べたことがそのままあてはまるであろう。時計には「今」たちのうちどれが〈今〉であるかを指す力がない（そのなさこそが時計の力である）。森岡のイラストも同様である。それによって指された者のうちのどれが〈私〉であるかは、指されるということとは別の源泉から得られなければならない。問題の意味が理解されているかぎり、これはまったく自明のこととしか言いようがないと思うのだが。

しかし、その書物のその箇所が外から見られるという想定ではなく、その書物の中に『まんが哲学入門』のそのイラストの箇所が読者に見られるという出来事が（一つ残らずきわめて詳細に）書かれているという話であるとすれば、事態は（森岡にとって）より悪化するほかはない。その書物に書かれていることは、いつだれがそのイラストを見てどんな心理状態になったか、といったことだけである。それ以外にどんな「事実」がありえようか。そのような実在的《リアル》な記述をどんなに細密に取り集めても、それらのうちのだれが〈私〉であるかは決してわからない、というのがこの書物の比喩のポイントである。〈私〉は実在的《リアル》な存在者ではなく、〈私〉であることは実在的《リアル》な述語ではないからだ。これはつまり、かりにもしイラストが特殊な（＝非実在的な）力を発揮できたとしてもその力は記述できない、ということを意味する。これがこの書物の比喩のポイントである。「より悪化する」と言ったのは、森岡の主張はかくして二重にブロックされることになるからである。*

＊　もちろん実際にはこれは二重ではなく一重である。書物の比喩は最初に働く実在化のブロックをわかりやすく形象化したものにすぎないからだ（わかりやすくなかったようではあるが）。

5　「第3章　4　現実性と独在性」について

ここでは私の（森岡がそう名づけた）「現実性アプローチ」について論じられているが、まずは『私・今・そして神』における「カント的な思索とライプニッツ的な思索」の対比について、ちょっとした補足をしておきたい。森岡は「しかしカントはその統一的な客観的世界が、なぜこの唯一の現実世界となるのかについてはまったく考察しなかった。」（一五九頁）と述べて、この連関でカントをもっぱら否定的に位置づけている。しかし、私はそうではなく、この対比からライプニッツ原理とカント原理の対立を導き出し、ある点においてはむしろカント原理の優位性を主張しているのである。これは（〈私〉と《私》の対比とはまた別の）〈私〉と「私」の対比の問題であり、〈私〉の持続・連続性は何によって保証されるのか、という問題にかかわる際にはこちらを無視することはできない。これは『私・今・そして神』だけでなく『存在と時間――哲学探究1』の中心的主題でもあったのだが、なぜか森岡はこの問題系（の存在自体）をまったく無視している。*

＊　森岡が、「太郎」などと同様の仕方で、〈私〉もまた「ピン止め」可能であると素朴に考えているように見える一つの理由は、この問題連関に興味がない（感度がない？）ことにあるように思われる。カント的構成の破格の重要性と、にもかかわらずそれを貫いて存在する独在性の問題、その二つの関連については、最も簡単には藤田一照、山下良道との鼎談『〈仏教3・0〉を哲学する バージョンⅡ』（春秋社）の第3章（の一八九頁～二〇九頁）において、私が二十頁にわたって一人で喋っている箇所を参照していただきたい。

『存在と時間――哲学探究1』にかんしては、森岡は「付録」として収められている「風間くんの質問＝批判」だけを取り上げているので、それも簡単に論評しよう。森岡はこう言っている。

> 風間の問いは、むしろ次の二つの問いとして問い直せるのではないだろうか。ひとつは、「〈私〉が風間維彦であるときに、山田花子がそれと独自に「なぜ〈私〉は山田花子なのか？」という問いを表明したとしたら、〈私〉は山田花子であり得るのか？」という問いであり、もうひとつは、「〈私〉が死んだあとのこの地上世界で、山田花子が独自に「なぜ〈私〉は山田花子なのか？」という問いを表明したとしたら、〈私〉は山田花子であり得るのか？」という問いである。このとき前者に対しては「ノー」である。後者に対しても「ノー」と言いたいところだが、後者については慎重に考えるべき点がいくつかあり、森岡は現時点では結論を出すことができない。

　これはしかし、せっかくの風間の真に本質を突いた問題提起が、それとは似ても似つかない平凡な問いに変えられてはいないか。いや間違いなく変えられてしまっている。前者も後者も、それぞれ〈私〉ではなく《私》にかんする（したがって当人にとっては〈私〉にかんする）ものと解して、答えは通常は「イエス」でなければならない*。それに続いて森岡が論じている問題も、ふつうの他者に関する問題であり、風間の先鋭な問題設定と関連するところがない。

＊ 通常ではない、これが「ノー」でありうる場合については、現在ｗｅｂ春秋に連載中の「哲学探究3」の第5回で論じられている。

現に〈私〉である風間があるとき突然なぜか〈私〉ではなくなり、たんなる風間維彦という人になってしまう。しかし、その風間（＝風間としての人格連続性を保持している人）もまた「なぜ〈私〉は風間なのか（＝なぜ風間が〈私〉なのか）」とまったく同じ問いを問う。これは、もともとの風間がそのままで「なぜ〈私〉は風間なのか（＝なぜ風間が〈私〉なのか）」と問う場合とどう違うのか。風間の問いのポイントは、現実には〈私〉でない風間を想定しても、彼もまた「なぜ〈私〉は風間なのか（＝なぜ風間が〈私〉なのか）」というまったく同じ問いを必ず問いうる（その意味で必ず〈私〉でありうる）という事実から出発している。それらはまったく同じ問いであると同時にまったく違う問いでもある。現実には〈私〉でない場合、それはもちろん「～にとって」付きの〈私〉にすぎないのだから、《私》であるにすぎないとはいえるのだが、〈私〉は、その同一性（持続）にかんしては、「～にとって」付きの「～」の同一性（連続性）に拠らざるをえない（すなわち《私》を経由せざるをえない）ため、この人格同一性（同じ人であること）によって〈私〉は成立してしまわざるをえない（のではないか）。これが背後にある問いである。言い換えれば、「あるとき突然なぜか〈私〉ではなくなり、たんなる風間という人になってしまう」ということ自体が、彼が記憶を喪失するといった実在的変化を想定しないかぎり、論理的に起こりえない（想定不可能な）ことなのではないか、という問いが背後にある。**

* 通常の場合でも、〈私〉の存在は、その同一性・連続性にかんするかぎり、ただ記憶の繋がりによってのみ担われている。毎朝目覚めると、昨日の〈私〉が持続しているように感じるだろうが、これはもっぱらその時点における心理的連続性（記憶印象、apparent memory）に依存している。

** ここには〈私〉と《私》の（それ自体が累進する）累進構造が働いており、ここが独在性という哲学的問題のキモであるのだが、私の見るところでは森岡の議論はこの事態を対象化してそれについて論じるということがなく、むしろつねにそれのどこかに乗って動いているように見える。

これは、「存在」の意味そのものをめぐる、哲学の歴史における最も本質的な対立点を、（この問題に関連して）はじめて抉り出すというとてつもない質問＝批判であって、そこにも書いたように、私はこの質問＝批判に接することによってはじめて、もともとの自分の問いを、アンセルムスの神の存在論的証明をめぐる問題やマクタガートの時間の非実在性をめぐる問題やデイヴィド・ルイスの様相実在論をめぐる問題や…、そしてもちろんデカルトの「コギト・エルゴ・スム」の真の意味をめぐる問題へと繋げることができ、そのことによって西洋哲学の根幹に繋がることができたと感じている。これらの問題はいずれも、「存在」成立の二重構造に関連しているといえる。私の見る限り、森岡の理解は彼の問いの深さと広がりをまるで理解していない。

森岡はこう言っている。

永井側から見て考えられる帰結は以下であろう。ひとつは、森岡は永井型の独在論の本質を理解していないという帰結であり、もうひとつは、森岡は永井型とは別の内容の独在論を主張しているという帰結であり、さらにもうひとつは、森岡はそもそも独在性とは何かを理解していないという帰結である。（一六八頁）

少なくとも最初のであることは間違いないと思う（その他の二つも当てはまる点もあるだろうが）。これらに加えてもう一つの点を付け足すなら、おそらくは森岡は独在性という不思議な現象が存在していること自体は捉えているのではあろうが、事実としてそういう現象が存在しているのだと単純に受け入れており、なぜかその不思議さということにあまり心を動かされておらず、したがってそれが存在している（といえる）ことの内にあるある捉えがたい種類の哲学的な謎にほとんど感度を持っていないように見える。彼の記述においては、この現象をめぐる哲学的な謎の部分がきれいさっぱり消えており、まるで独在性という現象が本当に《リアリー》ただ存在していて、それをこちらが自在に利用できるかのようなのである。* 風間は逆に、自覚的にかどうかはわからないが、まさにその哲学的・存在論的な謎の核心を、そこだけをいち早くつかんだのだ。いち早くというのは、だれよりも早くという意味であり、当然、私自身よりも早くであった。彼の問いは、どちらかが正しい答えか、といった答え方が可能な問いではなく、むしろ、独在性という問題は本当はないかもしれないと疑わせる力を秘めた、真に本質的な問題提起であった。

* 森岡の言葉でいう「読み換え」や「暗黙知」が働くことも、森岡はなぜか事実としてそういうことになっているのだと、ただそのまま受け入れているように見える。それらが働かざるをえ

ないその仕組みは真に驚くべきもので、そこにこそ論じるべき哲学的問題があるとは思っていないようなのだ。あえていえば(少なくとも私の意味での)哲学に関心を持っていないように私には見える。

少し遡って一五七頁において森岡は、自分は「独在性の読み換えの運動よりも、独在的存在者の場所のほうにより強い関心を持つ」と言っている。これはつまり、まずは「独在的存在者」が本当《リアリー》に存在しており、その後で、それが読み換えられたりられなかったりする、という捉え方を森岡がしていることを表している。私にとっては、これは驚くべきことである。いや、そもそもそんな暢気な分類はしていられないのだ、ということこそが独在性問題の本質だからだ。「独在的存在者」を切り離してそれに関心を集中するなどということは(やりたくても)できない。それを語ろうとするそのことの内で独在性のもつ(森岡の言う)「読み換え」の運動が必ず働き、その語りの全体をその運動の支配下に置いてしまうからだ。森岡の言説のすべてはそれに支配されて動いている(ように少なくとも私には見える)。

森岡は「独在的存在者の場所のほうにより強い関心を持つ理由」は「誕生肯定の哲学」が「この独在主義の次元において構想されている」からだ、と言っている。しかし、もし以上において私が述べてきたことを前提にして捉えなおすなら、「独在主義」に基づくこの「誕生肯定」は、その本質そのものの内に不可避的に「誕生否定」の契機を孕んでおり、それによる浸食と汚染を免れられない、という可能性があることになるだろう。もしそうだとすればそれは興味深い事実であり、また何かしらことの本質を突いているような印象が少なくとも私にはある。

次に森岡は二〇一八年に刊行された『世界の独在論的存在構造　哲学探究2』を取り上げる。「この本は、〈私〉の独在論について、再度その全体像を明るみに出そうとする意欲作である。永井がこれまで行なってきた議論がふたたび最初からまとめ直されており、永井の独在論を理解するための最新のテキストになっている。」と言われてはいるのだが、残念ながら、そこからは比較的マイナーな二点が取り上げられているにすぎない。実のところは、この本によって「独在性」という概念そのものの二義性がはじめて明らかにされており、そこから出発するのでなければここまで論じてきた（またこれから論じる）問題の真の意味もあまり明晰にはならないという憾みがあるのだが、* ここではそれはやむをえないこととしよう。

* 一方において形式としての独在性を純粋に概念的に取り出すことが可能でありまた（とりわけこの種の議論をしている現場では）必然でもあることをはっきり弁えていないと、なぜ複数の

人間のあいだでこの種の議論をすることが可能であるような独在性という客観的な問題が設定可能なのか、だからなぜそもそも独在性は伝達可能なのか、といった本質的な問題が不明確なままになってしまう、という問題もある。

比較的マイナーな二点とは言ったが、第一点は、少なくとも森岡自身にとってはかなり重要な意味を持っているように見える。まずは森岡が引用している私自身の文章から。

「〈私〉は、……世の中で永井均と呼ばれている人間である」と発見するこのルートは確実に存在している。しかし、その逆に、世の中で永井均と呼ばれている人物の心や体や自然的・社会的諸関係をどんなに細密に探究しても「永井均という人物は、……〈私〉である」と発見できるルートは存在しないのである。（文中の「……」は永井による記載）

これを引いて森岡は、永井は「「〈私〉は人物〇〇である」と発見するルートは存在するが、「人物〇〇が〈私〉である」と発見するルートは存在しない」と述べている、と言う。ひょっとすると慧眼な読者なら気づかれたかもしれないが、この要約にはある微妙な（しかしじつは重大な）

誤りが含まれている。私が実際に言っていることは、この文章をそのまま使って修正するなら、「「〈私〉は人物〇〇である」と発見するルートは存在するが、「人物〇〇は〈私〉である」と発見するルートは存在しない」ということである。これが正確な要約である。私は、「……人物〇〇が〈私〉である」と発見するルートは存在しない」などとは言っていないし、決して言わないであろう。「人物〇〇が〈私〉である」と発見するルートは存在しており、むしろそれだけが存在しているからだ。この「が」と「は」の違いは決定的である。

話は脇道に逸れることになるが、これはこれで興味深い問題ではあるので、ここで若干の日本語学的事実に注意を喚起しておこう。私はこの問題にかんする議論においてしばしば「人物〇〇が〈私〉である」という文を使用しているが、「人物〇〇は〈私〉である」という文は（森岡が引用しているような否定的な文脈を除いては）ほぼ使用していない。すなわち、この二つは使い分けられている。ところで、これまでの（そしてこれからの）議論の全体において、森岡はこの区別に注意を払っておらず、私の使用する「人物〇〇が〈私〉である」という形の文をすべて「人物〇〇は〈私〉である」の意味に読み換えて（あるいはそれと同義と見なして）理解しているようである。誤解というものはどこからでも入り込めるものなのだなあ、という感慨は湧くが、これはとても困ったことである。ここではたんなる一例として考えてみて欲しいのだが、森岡も私も認める「〈私〉は人物○○である」という文を、「〈私〉が人物○○である」という文に変えてみたらどうなるだろうか。これに似た形の文は、たとえば森岡正博という人についてよく知っている（たくさんの記述知を持っている）人に向かって森岡が「私が森岡正博です」と言って自己紹介する（面識知を与える）場合ならば使えるだろう。この場合の「私」は、ともあれ特定の身体を、並列的に存在する他の身体たちから区別して指す、という働きをしているからである（そういう場面では、「私は森岡正博です」という、ともあれ「私」という主体から出発するような文を用いるのは明らかに不適切であろう）。まずは、この違いに注目してほしい。

さて、〈私〉の場合ならどうだろうか。「〈私〉」が特定の何かを同種の他のものたちから区別して指すという働きをすることはありえないから、「〈私〉が人物○○である」という文には使い道がないのではあるまいか。このごく簡単な考察から、逆に、「人物○○は〈私〉である」には使い道がなくても「人物○○が〈私〉である」には使い道がありうる、ということがわかるはずである。「人物○○が…」という文は、ともあれ人物○○という主体から出発するような文ではなく、人物○○を並列的に存在する他の人物たちから区別して指す、という働きをする文だからである。

「私が森岡正博です」もそうだが「人物○○が〈私〉である」も同一性言明である。これらは別の経路で捉えられた二つの異なる（と思われた）対象がじつは同じ一つの対象であることを主張している。しかし、「私が森岡正博です」の場合は、「私」で捉えられた対象も「森岡正博」で捉えられた対象も同じ一つの世界に属しており、ただ捉える経路が異なっているにすぎないのに対し、「人物○○が〈私〉である」の場合はそうではない。人物○○と〈私〉とではそもそも属する世界が異なっている。私の用語を使って表現するなら、前者はのっぺりした（平板な）世界に属しており、後者はいびつな（奥行きのある・立体的な）世界に属している。時間論用語を用いるなら、前者はたんなるB系列世界に属しており、後者はA系列世界（すなわちA事実が存在する世界）に属している。さらに表現を変えるなら、前者が中心化されていない世界に属しているのに対し、後者は中心化された世界に属している。だから、この同一性言明は二つの（相互に矛盾しているともいえる）世界を接合して間世界的同一性の存在を主張している（それゆえに一つの矛盾を含んだ世界の成立を主張している）ともいえる。その際、いびつな世界からのっぺりした世界に接続するルートだけがあって、のっぺりした世界からいびつな世界に接続するルートはない。いびつな世界のその世界を開く唯一の原点はのっぺりした世界の中の一人の人間である（並列的に存在する複数の人間たちの内のたまたまのある一人である）のだが、のっぺりした世界の中の一人の人間である（並列的に存在する複数の人間たちの内のたまたまのある一人である）その人はいびつな世界のその世界を開く唯一の原点ではないからである（それだからこそのっぺりしていてB系列をなしており中心化されていないわけである）。だから、少なくともこの二種の世界が両方とも現実世界である場合には、接合の事実の発見はあくまでもいびつな世界の側からなされるのだが、しかし、接合によって発見された事実そのものは発見の経路とは独立である。この同一性はただ〈私〉の側からだけ発見されるにもかかわらず、〈私〉の内部にある主観的事実のようなものではありえず、〈私〉にかんする客観的事実でなければならず、客観的事実としてあらわれざるをえないのだ。この発見それ自体を〈私〉の心の中に主観化することは（しようとしても）できない。[*] それは発見された当の事実そのものに反することになるからである。

* この点で、独在性の問題はたとえばフッサールの現象学のような主観主義的な諸哲学説とはまったく違うことを問題にしていることを理解してほしい。時間的現在の問題でいえば、これは、マクタガートの『時間の非実在性』とフッサールの『内的時間意識の現象学』とが、同じ「現在」を主題にしているにもかかわらず、じつはまったく違う主題にかかわっている、ということと同じことである。

この点に関連して、清水将吾@shogoinuが2021年3月6日に次のようなツイートをしているのが参考になる。

1〈私〉の特別さは、宇宙についての事実であるにもかかわらず、この私一人にしかわからない。それはなぜだろうか。

2〈私〉の特別さは、この私一人にしかわからないにもかかわらず、それが宇宙についての事実であることがわかる。それはなぜだろうか。

これを使わせてもらうならば、ポイントは「宇宙についての事実」と2にある。そして2は「…であることがわかる」というより「…であるとしか捉えられない」と言ったほうがよいと思う。非常に興味深いことだと思うのだが、この事実はいわば「宇宙についての事実」として捉える以外の主観的な捉え方が（したくても！）できないのだ。もしこれを主観的な事実として捉えたなら自分が何か奇妙な妄想のようなものを持ってしまったと感じるほかはないだろう。これは、ある意味では本当に《アクチュアリー》（決して主観性の中には取り込めない）客観的な事実だからである。そして、おそらくはここに独在性という問題の哲学的な核心が隠されている。

森岡が問題にしている範囲をかなり超える話をすることになってしまうが、そうしないと肝心なことに触れることができないので、先ほどしたウィトゲンシュタインの駒に冠を被せる比喩の話を少し発展させる形で、ほんの少しだけ関連する問題に触れておきたい。ともあれまず重要なことは、チェス・ゲームというのっぺりした（B系列的な）世界の只中にいきなりそれを開闢する（「冠」で象徴されるA事実的な）異物が挿入されるということである。冠が〈私〉に対応することはいうまでもなく、おそらくは多くの人が〈〈私〉という用語を別にすれば〉そう理解しているであろう。しかし、私がそれを超えて言いたいことは、もともとのチェス・ゲームのルールそのものの内に、いわばすでに各々の駒に冠が被せられていると書かれている（＝だれもがその人自身にとっては〈私〉であると規定されている）ということである。だから、（異物の挿入と表現された）いま新たに起こったことは、たしかにいま新たに起こったにもかかわらず、その新奇性を語るすべがどこにもないのだ。すべての駒はルールによって最初から《私》ではあり、〈私〉は語られたときは必ず《私》になるのだから、そこに何も新たな事象を見て取ることはできないのだ[*]。ルール上は何も変わったことは起きていないことにならざるをえず、しかもそれは一面の真理でもあるのだ。だから、それらのうちどれが〈私〉であるかはすべての駒をくまなく調べても決してわからないということは、それぞれの駒の主観性（主体性・自発性・内面性・私秘性…）の側から調べることができたとしても、それでは決してわからないという意味でもある。これが一方向性ということの真の意味である。ここでは「当人にしかわからない」といった主観性の見地が否定されている。なぜなら、それはゲームのルールそのものだからである。

＊　先に論じた「風間くんの質問＝批判」の問題提起も、この二重性に関係していた。

話をもとに戻して、この接合点の発見（あるいは発見された接合の事実）は、もちろん「〈私〉は人物○○である」というように表現されても（しかるべく同一性言明と取られるかぎり）間違いではないが、むしろ「人物○○が〈私〉である」と表現されたほうが（問題の本質を外さないためには）より適切である。こちらのほうが「人物○○が〈私〉である！」と末尾に「！」を付けた形の存在論的な驚き（存在の奇跡！）の含意が読み込みやすいことからもそれがわかる＊。この同一性（の発見）によって相互に矛盾した二つの世界が接合される（言い換えればこの世界にじつは矛盾が存在していたことが洞察される）。この「矛盾」はマクタガートの言う時間の矛盾と（私の解釈では）同型である。しかし、それは、マクタガート自身もそう言っているように、決してA系列とB系列の矛盾ではなく、A系列そのものに内在する内部矛盾なのである。

すなわち、世界には現実にそれが開ける唯一の原点が存在しているという世界像とそんなものは存在していないという平坦な世界像とのあいだの矛盾なのではなく、世界には現実にそれが開ける唯一の原点が存在しているという世界像と各人がそれぞれ（それぞれ唯一の）その原点なのだという世界像とのあいだに成立する、累進する矛盾なのである。

* この存在論的驚きを表現するためにであれば、むしろ「人物○○は〈私〉である！」という文を使うのも深い味わいがあると思われる。

さらにもう一点だけ、森岡の議論とは無関係な私見を付け加えておくなら、この問題は全体として形式的・概念的に理解することが可能であり、可能であるどころか不可欠でさえある、ということがすこぶる重要である。すなわち、接合される二種の世界は必ずしもともに現実世界である必要はないのだ。というのは、問題の他者への伝達はそのことを介するほかはなく、ここでのこの議論そのものがそのことによって初めて可能になっているからである。さらに、ここで詳述することはできないが、このことが重要であるのはそれだけでなく、〈私〉とか「そこから世界が開けている唯一の原点」といった表現にはそれゆえに二義性があることになるからでもある。このような表現は、直接的・実質的に理解することも、形式的・概念的に理解することもでき、この現実世界で現在使われると、直接的・実質的な理解が即座に成り立ってしまうため、その形式性・概念性が飛び越されて即座に忘却され、直接的・実質的な理解に固執してしまいがちになるが、たとえば〈私〉や「そこから世界が開けている唯一の原点」が過去にあったとか未来に生じるといった時制変化を介在させるだけでも、話はそう簡単ではないことがすぐにわかる。

「4 現実性と独在性」のその後の議論は、全体として、以上のような私の見地からすると、意味のない議論であるといわざるをえない。

6 「第3章 5 読み換えと独在性」について

森岡が『世界の独在論的存在構造』から取り出す論点は「比較的マイナーな二点」にすぎないと先ほど言ったが、二点目もまた、森岡自身にとっては重要な意味を持っているように見えるが、私自身にとってはそもそも論点でさえない。森岡は、「『世界の独在論的存在構造』についての第二点目は、〈私〉についての新たな語り口が本格的に導入されている点である。」と述べて、「やはり本作の大きな特徴であると言える。」と続けている。しかし、これはまったくの誤解である。ここで「新たな語り口」は導入されていないし、森岡が引用している箇所（一八四―一八六頁）の「語り口」には、もしかしたら文章技術的・心理的・導入的・方便的…等々の意味はあるかもしれないが、哲学的な意味はまったくない。このようなことが「本作の大きな特徴である」とはとんでもないことである。

なぜ森岡がこのようなとんでもない誤解をしたのかを推測すると、自身の願望を読み込んだという点を除けば、森岡が三つ目に引いている（付録として最後に収められた）仏教雑誌に寄稿した文章が意識的にそのような文体を取っていることからそのような誤印象を持ったという可能性も考えられる。しかし、それはあくまでも付録にすぎない。このような一種の語りかけ風の文体は、たとえば『哲学の密かな闘い』（岩波現代文庫）所収の「自分とは何か――存在の孤独な祝祭」*でも採用されているが、それらはいわば入門者・初心者向けの安易な方法であって、もっとちゃんと説明する場合には、前節の最後に「さらにもう一点だけ、森岡の議論とは無関係な私見を…」と言って挿入した箇所の議論をしっかりと概念的に説明することから出発して、この議論の伝達可能性が何を意味するかを論じなければならない。

＊　入門者・初心者向けであるとはいえ、この文章はここで論じているような問題を（そのキモの部分を）たった十ページ程度で完全に説明しているので、読んでいない方はぜひ一読してほしい。

この箇所で私の哲学的主張を比較的ただしく再現しているのは、注69である（二〇五頁）。その中に「…アルファでありオメガであったはずの端的さは失われている」という箇所があるが、それが私の見解である。第一に「アルファでありオメガ」でもある最重要のことがらは「失われている」ということであり、しかし第二に、そのことよってその形式的・概念的本質だけが伝わることになるということである。すなわち第一に、あちら側でこちらと同じことが再生することはありえない、そこで決定的に失われるものこそをここでは問題にしているのだから、ということであり、この点を決してあいまいにしてはならない。しかし第二に、あちら側でこちらと形式的・概念的には「同じ」ことが（累進構造図で段階を一段下げて）再生されることがありうる、しかし、それもありうるといえるだけで、あるかどうかはこちらからは決してわからない、ということである。*

* このことに関連してもう一つ私が強く主張したい点は、あるかどうかはこちらからは決してわからないということよりもあったとしてもあくまで形式的・概念的に「同じ」ことであるにすぎないということのほうが重要なのだ、という点である。こういう仕方で他我問題という問題の意味を変えている（というような種類の）ことにこそ注目していただきたいところである。

次に、森岡は「永井が一貫してこだわってきた「読み換えの仕組み」（累進構造）について
ここで再度考えてみたい」と言って、「独在論には、少なくとも三種類の読み換えがある」（一八七頁）と続けている。私にとって「読み換え」はすでに過去の概念であって、現在の考えは違うので、そちらを使って再解釈してみよう。

森岡の分類する第一の読み換えが何を指しているのかあまりはっきりしないが、第二との対比で解釈するなら、これは〈私〉の《私》への読み換えのことだろうと思う。累進構造図で言うと、現実の最上段を指すのが〈〉のはたらきで、最上段性という形式（あるいは最上段という概念）を意味するのが《》のはたらきである。これは〈私〉と《私》だけでなく〈今〉と《今》でも変わらない。即座に特定の対象を指示することになる〈私〉と違って、《私》は独在性という形式を表現する。もしこの読み換えが為されなければ、この問題が問題として理解されうるはずもなく、したがってそれについて議論し合うことができるはずもない。

森岡の分類による第二の読み換えは、これと対比して理解するなら、〈私〉の「私」への読み換えのことだと理解される。これはむしろ第二章の対談のときの「口」の話に関係づけて理解したほうがよい。私が完全な独在者として、すなわち自分が誰であるかは知らずに（あるいは意識せずに）、ただ単に唯一の直接的に感じる者として、現にそう感じるので「私は頭が痛く

て眩暈がする」と言ったとしよう。それでも、それはその発言の出る口によって特定の人の発言として読み換えられ、特定の人についての情報を与えることになる。もしこの仕組みがはたらかなければ、「私」という語はそもそも機能しない。

第三の読み換えと森岡が呼ぶものの代表例。

この読み換えは、自分自身で文章を書いて、そのあとでその同じ文章を読むときにもまた生じる。たとえば、私はいま「〈私〉はいまこの文章のこの箇所を書いている」と書くのだが、それを書いた直後に「〈私〉はいまこの文章のこの箇所を書いている」という文章を自分で読み、そこに書かれている〈私〉をあたかもいま読んでいる自分自身であるかのように理解している。ここで起きている読み換えは非常に不思議な構造をしていると考えざるを得ない。(一八九頁)

これを「読み換え」と呼ぶとしても、「第三」に分類することは適切とは言い難いと思う。強いて「読み換え」という語を使うなら、これは自己同一性というものが読み換えの複合によって成り立っていることを示している。〈私〉が同一性を保って持続するには、《私》化と「私」

化の媒介を経なければならず、そこには《今》化と「今」化が介在しているからだ。「そこに書かれている〈私〉をあたかもいま読んでいる自分自身であるかのように理解している」とき、そういう問題を考えている人物としての記憶とともに、独在性の形式的・概念的理解もまた介在し、経由されている。と同時にまた、〈いま〉にかんするそれと同種の読み換えも介在し、経由されている。この例では、文字化によってそのことがあからさまになっているが、この構造自体は通常の〈私〉の持続においても避けることができない。そもそも記憶という現象自体がこの仕組みの介在によってはじめて可能になるからだ。ちなみに、ジャック・デリダが自己同一性の成立に不可避的に介入するこの外在化の仕組みを、フランス人らしく隠喩的に「文字(エクリチュール)」と呼んだことは印象深いことであった。しかし私見ではむしろ、カントの「観念論論駁」におけるデカルト批判のほうが、機先を制して隠喩的でない精確な問題提起をおこなっていたと思う。ところでしかし、ここに「読み換え」の存在を認めることは、〈私〉の「ピン止め」がじつは不可能であることを認めていることにならないだろうか。

最後に、『〈私〉の哲学　を哲学する』における青山拓央の発言に触れておこう。

「ですが、そう思った瞬間にふと疑問に思うのは、私はこの本を書いていないということです。この本を書いた人はいま目の前に座っている。これはしかし冗談ではなく、決定的に重要なことだと言えます。この本を書けるような人がそこにいるということによって、前言語的な〈これ〉がそこ（永井さん）にもあるという感じがするからです。私の〈これ〉と同等であり、私の言語によって復元されたのではない本物の〈これ〉が、やっぱりそこにもある。そうじゃなかったら、他人がこの本を書けるわけがない。このように感じるのです。……それを自分が言ったのだったらまったく正しいと思うことによって逆に、他の〈これ〉があることを信じさせられてしまうと言いたい。つまり、独我論を他者から教わり、しかもそれが正しいと思うことで独我論から離れると」。

最後の「独我論を他者から教わり、しかもそれが正しいと思うことで独我論から離れる」のところが、必然的に逆にも読めるところが興味深い。すなわち、これは「独我論を他者から教わり、それは間違っている思うことで独我論の真の意味を知る」ともいえるわけで、いえるのでなければならないからである。なぜなら現実に《アクチュアリー》「正しいと思う」ことは決してできないからだ。*

* もちろんこれは「とっては・現実性」であるが。

第5章
貫通によって開かれる独在性——あとがきに代えて

森岡正博

永井からのコメントを読んで一歩前進できた部分があったので、その骨子を記しておきたい。その前に、永井からのコメントを森岡なりに一言でまとめるならば、「永井が四〇年間かけて到達した山頂から眺めれば、森岡の議論は麓の入り口の付近でうろうろしているものにすぎない。永井の山頂はその批判によっては微動だにしない」ということになるだろう。

永井からのリプライがそのようなものになった理由の一つは、森岡が解明しようとしてきた独在性と、永井が解明しようとしてきた独在性が根本のところで異なるという点にある。(以下、当分のあいだ、永井の解明しようとしてきた独在性を〈私〉という表記で代表させて示すことにする。《私》との関係は後半で述べる)。紙幅の余裕がないので個々の論点に応答することは他の機会に譲り、ここでは森岡がやり取りから得たもっとも重要な一点にのみ絞って述べていくことにしたい。

独在性の二つの側面――〈私〉と貫通型独在性

それは、永井的な〈私〉の概念によって独在性を捉えることによって見えにくくなる独在性の側面があり、森岡はその側面にもっぱら関心を集中させているという点である。それは「貫通型独在性」とでも呼ぶべきものである。森岡はいままで独在性について語ることと〈私〉について語ることは同一であると思い込んでいたし、読者の多くもそう思ってきたのではないだろうか。しかしながら、独在性について語ることと、〈私〉について語ることは必ずしも同一ではないと考えられる。独在性には少なくとも二つの側面がある。ひとつは永井が追求してきたような〈私〉という側面である。もうひとつは森岡が解明したいと思っている貫通型独在性という側面である。私がこれまで独在的存在者という言葉で意味してきたものは、貫通型独在性と深いつながりがある。独在性の議論はいままで永井が独走して行なってきたから、独在性に以下に述べるような側面があり得ることは、私をも含め永井の読者たちには気づかれにくかったと言える。しかしこの点への気づきは、独在性の議論をこれから各方面に開いていくために大事なことであろう（なおここで言う独在性の二つの側面とは、永井が『世界の独在論的存在構造』で用いた「独在性の二つの顔」とは別のものである）。

「人物○○が独在的存在者である」と「独在的存在者は人物○○である」は同一性命題か

第三章で森岡が永井に問いかけた唯一最大の論点は、「人物○○が〈私〉である」と「〈私〉が人物○○である」は根本的に異なっているというものであった。これに対して永井は、次のように明言している。「森岡の理解とは異なり、「東京太郎が〈私〉である」と「〈私〉は東京太郎である」とは、どちらも同一性命題なので、その理解内容は同一である」（二二九頁）。そして永井はさらに言う。「少なくとも私の独在性理解との違いははっきりしている。なぜなら、このような理解の仕方では、1で説明したような、私にとって最も重要な〈私〉の存在という問題が中心的な問題ではなくならざるをえないことは明らかだからだ」。「私の見るところでは、森岡の独在性理解はこのような私の独在性理解とは逆の、超越論哲学の「超越論的主観性」の考え方の伝統に近いように思われる。もっと悪く言えば、それによって批判されている「合理的心理学」や「心理主義」の同類のようにも見える。いずれにせよ、それらは私がはっきりと拒絶している（超越論性についていえば独在性からはっきりと分離して別の問題であると捉えている）考え方である」（二三〇－二三一頁）。

まず、「〈私〉は東京太郎である」と「東京太郎が〈私〉である」の理解内容は同一であるというのが永井の立場であることが確認できた。森岡はまったくそのようには考えないので、やはりここに独在性をめぐる解釈の対立があることが分かる。次に永井は、森岡の解釈を取れば、〈私〉の存在という問題が中心的な問題ではなくなると言う。この点に関して現時点から振り返れば、森岡は「「人物○○が〈私〉である」と「〈私〉は人物○○である」は根本的に異なっている」と言うべきではなく、そのかわりに「「人物○○が独在的存在者である」と「独在的存在者は人物○○である」は根本的に異なっている」と言うべきであったと思う(註1)。これは、永井が規定する「〈私〉」と、森岡が規定する「独在的存在者」はそれぞれ異なったものを指している、ということを意味する。そしてこの両者は、独在性の二つの側面を表わしている。森岡にとっては、〈私〉という問題のかわりに、独在的存在者という問題が独在性の中心的な問題となるのである。

第三に永井は、森岡の理解は超越論的主観性の伝統に近いと指摘する。これは面白い論点で、そもそもカント的な超越論的主観性が独在性に届いているかどうかという問題にかかわる。永井はこの問題を以前の著書で考察している。まず、超越論的主観性と独在性を同一視するのは間違いであるという永井の見解は正しい。そして森岡が独在性について論じているとき、森岡が超越論的主観性について論じているのではないのは明らかである。では超越論的主観性は独在性と完全に無関係かと言われれば、ヌーメノンの理解次第では独在性に届いている面もあるのではないかと感じるときもある。この点は要検討である。また引用部後半で永井が付け加えたところの、森岡は独在性を合理的心理学や心理主義のように理解しているのではないかという指摘は、明らかな誤謬であろう(以下の議論を参照)。

さて、「人物○○が独在的存在者である」と「独在的存在者は人物○○である」は根本的に異なっていると述べたが、それはどのように異なっているのだろうか。前者の「人物○○が独在的存在者である」は、ある人物が客観的世界においてまず措定され、次いで、その人物の様態が独在的であると言明されることを指している。ここでの独在的存在者に関しては、永井の言う「この世界の中で、現実に痛みを感じ、現実に物が見え、現実に音が聞こえ、現実に思考し、現実に想像したり思い出したりする唯一の人」(二一七頁)という規定をひとまずは使うことができる。次に後者の「独在的存在者は人物○○である」だが、これは、まず独在的な様態がなぜかすでに成立しており、それが客観的世界のある人物に連結されて言明されることを指している。前者との違いは、後者の場合、初発における措定、すなわち客観世界にある人物がいると判断するという操作が存在しない点だ。独在的存在者は、そのような措定の操作以前に、なぜかすでに先行的に成立してしまっているのである。これが後者の言明の特徴である。前者と後者をこのように捉えるならば、「その理解内容は同一である」とはまったく言えないことが分かるだろう。この後者にはある種の「驚き」も含まれている。独在性がなぜかすでにそのようなものとして先行的に成立しているのは、驚くべきことである。

独在的存在者とは何か──貫通型独在性の意味

ではそもそも独在的存在者とは何かということであるが、私はそれを貫通型独在性によって理解しようとしている。貫通型独在性とは、第三章で述べた二人称的確定指示によって独在的存在者の場所が定まるという性質によって見えてくるような独在性である（「貫通」という言葉は第3章で既出。一二五、一四二頁。この発想は『生まれないほうが良かったのか？』（二〇二〇年）第4章のウパニシャッドの解釈で登場する。さらにその原型は『無痛文明論』（二〇〇三年）の「ペネトレイター」の概念にまで遡る）。なぜ貫通型と呼ぶかといえば、「あなたなのです!!」の指差し線が頁から飛び出してきて、見る者ひとりだけを実際に象徴的に貫通するという経験を通して独在性への気づきが切り開かれるからである。この指差しの背後に、この指差しを行なう主体が隠れて存在しているわけではない。そしてこの独在的貫通は指差し線の動きの背後と手前の時空に果てしなく延びていると考えられる。この独在的貫通こそが、永井が「いつもこいつだけが独在的存在者であると知っており」（二四九頁）と言うときの「こいつ」の把捉の可能性を、その底辺から先行的に支えるものである。大事な点なので繰り返すと、二人称確定指示が貫通型独在性なのではなく、二人称確定指示によって貫かれることで気づきに至ることのできる独在性のあり方が、貫通型独在性なのである。貫通型独在性においては、なぜかすでに独在的貫通において独在的存在者は成立しており、それ以前に何かの主体の措定がなされるという余地はない。ここには、独在的貫通の圧倒的先行性がある。この先行性は、存在の先行性、実存の先行性、現実の先行性に似たものであるが、まったく同じではない。この圧倒的先行性を、「人物○○が独在的存在者である」という言明は捉え得ていない。別の言い方をするならば、「人物○○が独在的存在者である」という言明において「人物○○が」という措定動作があるときに、その措定動作を行なう独在的存在者こそが真の独在的存在者なのであり、その独在的存在者の場所は二人称的確定指示によってひとつだけ定まる。したがって、「人物○○が独在的存在者である」という言明の後半に登場する独在的存在者は、真の独在的存在者を指していない。局所的例外として、「人物○○が」という措定動作を行なう独在的存在者の固有人名が同じ「人物○○」である場合があるが、そのときであっても、「人物○○」の措定という迂回作業が介在しているので、その言明の後半部によっては、独在的貫通の圧倒的先行性とともに貫かれる真の独在的存在者を正しく捉えることはできない。逆に「独在的存在者は人物○○である」という言明においては、「独在的存在者は」という措定動作があるときに、その措定動作はその措定動作を行なう主体を迂回作業なしに直接に指しており、その言明の前半に登場する独在的存在者は独在的貫通の圧倒的先行性とともに貫かれる真の独在的存在者を正しく捉えている。

以上が第三章における森岡の論点であったと、いまから振り返って言うことができる。

ここから次のことが分かる。「人物○○が独在的存在者である」という命題は、文字列として統語論的に成立するが、有意味な命題としては成立しない。なぜなら、独在的貫通において先行的に成立している独在的存在者に先立って、ある任意の人物が（独在的存在者として）措定されることはあり得ないからである。次に、「独在的存在者は人物○○である」という命題は、文字列として統語論的に成立すると同時に、有意味な命題としても成立する。しかしその命題が公共的に表明されたとき、その命題は偽なるものとして他人から否定され得る。そしてその否定において独在的存在者の場所が確証され得る。以上の点については、森岡が第三章で述べたことよりも、いまここで述べたことのほうが正確である。そのうえで、第三章の次の森岡の文章は依然として正しい。

このまんがイラストの指差しによって指示された者、すなわちこの文章をいま読んでいる読者は、その指差しによって指示された独在的存在者が固有人名で誰になるのかを、はっきりと知っているのである。まんがイラストの指差しによって指示された独在的存在者が誰であるのかを知っているが、それが固有人名で誰なのかを知らない、ということはあり得ない。その独在的存在者が固有人名で誰であるのかは、疑いようもなくクリアーなのである。しかしながら、独在的存在者が固有人名で誰であるのかを、指示された者が言葉を用いて表明したとたんに、それは二人称的確定指示の意味を理解している人たちから否定されることになるはずである。（一五三頁）

以上の議論を背景にして、永井が森岡の二人称的確定指示について語っている箇所を見てみよう。永井は書く。「すべての読者が（そして読者だけが）指されるのだから当然、〈私〉ではない他の人々も指されることになるだろうが、彼らも〈私〉と並んで「独在的存在者」であることになるのだろうか」（二四八頁）。これは明らかな誤謬である。二人称的確定指示によって「〈私〉ではない他の人々も指される」ことは起きない。したがって、「彼らも〈私〉と並んで「独在的存在者」である」ことにはならない。二人称的確定指示のケースにおいて、独在的貫通はすでに先行的に起きており、それは先行的にただ一人のみを指しているからである。それが貫通型独在性の意味である。これに引き続く永井の数々の指摘も的を外している。

〈私〉vs 独在的存在者

ふたたび〈私〉と独在的存在者の違いに戻ろう。

永井は「人物○○が〈私〉である」という命題と、「〈私〉は人物○○である」という命題は、同一性言明として同じであるとする。そしてこの二つを比べれば、「人物○○が〈私〉である」のほうが、問題の本質をはずさないためにはより適切であるとする。なぜなら、この命題のほうが「存在論的な驚き（存在の奇跡！）の含意が読み込みやすい」からである（二七一頁）。永井の言う二つの世界、すなわち中心化されていないのっぺりした世界と、中心化されたいびつな世界を接合して重ね合わせるという場面（二六七頁）において、永井は「人物○○が〈私〉である」の優位性を主張する。

これに対して森岡は、「人物○○が独在的存在者である」という命題と、「独在的存在者は人物○○である」という命題はまったくその性質が異なっており、有意味なのは後者であると主張する。そして先行性の驚きは後者の命題によって表現されることになる。〈私〉と独在的存在者のあいだのこの違いは決定的である。しかしともに独在性のそれぞれ別の側面について語っていることに間違いはないと森岡は思う。永井がどう考えるかは分からないけれども、森岡はいずれか一方のみが独在性への正しいアプローチだとは考えない。（ちなみに、存在論的な驚きと先行性の驚きは異なった種類の驚きとみなすべきだろう）。

もちろん森岡は次のような問いを立てることができる。「この世界には人物A、人物B、人物Cというふうにたくさんの人がいるのに、どうして人物○○が独在的存在者であるのか？」。この問いは文法的には正しく成立しているが、有意味ではないというのが森岡の考え方であった。ただし、これを次のように変換すればどうか。「この世界には人物A、人物B、人物Cというふうにたくさんの人がいるのに、どうして人物○○が〈私〉であるのか？」。これはまさに〈私〉の独在論の核心に迫る有意味な問いである。これを貫通型独在性の視点から見れば、この「〈私〉」を「独在的存在者」に置き換えたその瞬間に、この問いが有意味な問いではなくなるという点にこそ、貫通型独在性の本質が存しているということになる。これをさらに敷衍して言えば、「人物○○が〈私〉である」という永井方式によって独在性が規定されたときに、その規定の力によって見えにくくなっていくものこそが、貫通型独在性であるということになるだろう。そしてさらには、「人物○○が〈私〉である」という措定がなされたそのときに、その措定の力の範囲の外部に取り残される圧倒的先行性こそが貫通的独在性である、と言うこともできるだろう。もっと言い換えれば、独在的存在者は貫通的な圧倒的先行性においてすでに成立しているのだから、その独在的存在者の成立後に、「人物○○」が独在的存在者であったりなかったりするような主語として措定されたとしてもそれは有意味ではないということである。

人物〇〇が〈私〉であったのが、人物〇〇のすべての属性は同じままに〈私〉だけが消滅してしまう、という思考実験が可能なものとして永井は〈私〉の概念を捉えていた（最新ではない著作においてではあるが）。ところが独在的存在者においては、そもそも「人物〇〇が～」という措定が不可能なので、この思考実験は有意味には成立しない。では、独在的存在者が人物〇〇であったのだが、人物〇〇のすべての属性は同じままに独在的存在者だけが消滅してしまうという思考実験についてはどうだろうか。これについては、独在的存在者の消滅後に、時間の流れも空間の広がりもない何かが因果連鎖的に一挙に成立しているあるいは何も成立していない、という思考ができるのみである。

貫通型独在性が先行するがゆえに「人物〇〇が独在的存在者である」と「独在的存在者は人物〇〇である」はまったく異なったものになるというこの論点は、独在性の哲学において本質的に新しい事態であるため、前章を読むかぎり永井は適切に対応できていないように見える。

独在性の二つの次元

ここで永井のセオリーに戻ろう。永井によれば、独在性は二つの次元（顔）が絡まり合うことによって成立する。ひとつは、独在的なあり方をした者が真の意味でひとりだけ存在するという次元である。これは何かが現にそのようになっているという事態を指す。永井は前章でこれを「剥き出しの存在論的問題」（二一九頁）あるいは「〈〉のはたらき」（二七六頁）と呼んでいる。それは「即座に特定の対象を指示することになる」ものである（二七六頁）。もうひとつは、独在的なあり方をした者が真の意味でひとりだけ存在するということを思いついたり、考えたり、書いたり、語ったりすることが、複数の人々によって構成される公共的な地平に照準を合わせた言語によってしか行なわれ得ないという次元である。これは剥き出しの存在論的問題だけを「取り出して記述する（描写する）こと自体ができない」ということを意味する（二一八頁）。さらには、公共的な世界に存在する人物たちが自己および他人の存在様態について語ろうとするまさにそのときに、前者の剥き出しの存在論的問題が侵入した言語をいかなる様式であれ用いざるを得ないという矛盾的状況が不可避的に発生する。永井はこれを「真の哲学的（強いて分類するなら言語哲学的）問題」（二一九頁）あるいは「《》のはたらき」（二七六頁）と呼んでいる。永井によれば、「〈私〉と違って、《私》は独在性という形式を表現する」（二七六頁）。永井は二七〇頁以降で、チェスのルールそのものの内に各々の駒に冠が被せられていると書かれているのだからそれは主観性の問題ではない、という議論を行なってこの論点を敷衍している（註2）。

それでは、貫通型独在性のアプローチでは、この二つの次元はどのように捉えられるのだろうか。第一の次元の「剥き出しの存在論的問題」は、独在的貫通の圧倒的先行性という事態によって剥き出しのままに捉えられる。そして独在的存在者は二人称確定指示によって直接に指される。第二の次元の「真の哲学的（強いて分類するなら言語哲学的）問題」は、貫通型独在性のアプローチでは、言語哲学的問題というよりも、人称的世界の哲学の問題として概念的に捉えられる。すなわち、独在的存在者は二人称的確定指示によって指されるわけであるが、そこに「二人称」が必然的に侵入してきているというまさにその点にこそ、〈独在的存在者の指示やそれについての語りが「二人称」的な地平つまり独在性の剥き出しの存在論的地平でのみ遂行されることがあり得ない〉という逆説が露わになっているのである。これはおそらく言語哲学の問題である以上に、人称的世界あるいは人称的空間そのものの構造の問題だと考えられる。現実性の視点から言えば、人称における「現に」は一人称ではなく二人称においてその可能性が準備される。二人称の優位と言ってもよい。さらに強く言えば、人称における独在性の根底は一人称の問題ではないのである。これをさらに言い換えてみよう。まず、独在的貫通の圧倒的先行性というものがある。次に、二人称的確定指示によって独在的存在者の場所が確定され、独在的存在者とは何かを独在的存在者は正しく把握することができる。なぜ二人称的確定指示にそのようなことを可能にする能力があるのかと言えば、私が何かによって指されるという事態が、独在的貫通と同型の構造をしているからであると考えられる。私がこの世界に生まれ落ちたときにはすでに人々が二人称で指したり指されたりするコミュニケーションを行なっており、私は二人称の網の中へと生まれ落ちる。私は二人称を用いた指差しの意味を学習し理解するがゆえに、それを通路として独在的存在者の場所の把握に至ることができる。その意味で、独在的存在者の概念は二人称を基盤のひとつとして成立する公共性の落とし子である。この説明は、一見、発生的心理学を語っているようにも見えるけれども、実のところは人称的世界の哲学の一部である。このように、徹底的に一人称的で私秘的なもののように一般には捉えられがちな独在性の問題は、二人称の優位という地点を経由して、公共性の地平へとすでに接続されているという構造になっているのである。これらの点においても、純粋な形而上学の枠内に〈私〉の概念をとどめておこうとする永井と、その路線を取らない森岡のあいだには隔たりがある。独在的存在者の概念は形而下の肉体の世界ともつながっている。しかし、独在的貫通によって独在的存在者が成立することで、ある内包がこの世界へと付加されるわけではない。そのような形ではつながっていない。

貫通型独在性は、レヴィナスの「他者の到来」と似ているとも言えるが、他者の他性と倫理性に焦点を合わせるレヴィナスの構図とは強調点が異なるのではないかと思われる。むしろ貫通型独在性は、古代インドのウパニシャッドやヴェーダンタの伝統上に位置すると考えたほうがよいのかもしれない。独在性は古代インド哲学がつねに脳裏に置いていたテーマだと考えられるからだ。

以上から分かるのは、貫通型独在性のアプローチは、第一の次元においても第二の次元においても、永井による〈私〉のアプローチとは異なっているということである。森岡は、この二つのアプローチによって見えてくるそれぞれ異なった独在性の様相を、独在性の二つの側面と呼ぶのである。

貫通型独在性における人称的世界の構造の解明から誕生肯定の哲学へ

以上が、永井からのリプライを読むことによって、森岡が新しく発見したもっとも重要なことの骨子である。第三章よりも、この「あとがき」のほうで、森岡の考え方をよりクリアーに書くことができた。永井による森岡への個々の疑義については、二つのアプローチの違いに留意することで適切に応答できるものも数多くあるだろうと思われる。たとえば永井は「ピン止め」に関して、「森岡は、そもそも〈私〉そのものが剥き出しで持続できると考えているようなので」と書き、それをもとにした議論を行なっている(二三八頁以降)。しかしいまから振り返って考えれば、その箇所で森岡が〈私〉という言葉で意味していたのは実は永井の〈私〉の概念ではなく、森岡の独在的貫通の概念である。したがって第四章の永井のこの文章およびその後の議論は間違っているのだが、それを引き起こした責任は森岡にある。その箇所における〈私〉と独在的貫通の違いを明確化して再度考察を行なうことで、興味深い論点が現われるのではないかと思う。たとえば、宇宙の事実をすべて記した厖大な書物に独在的存在者が誰なのか記されているのかどうかという論点は、そのひとつである。

この「あとがき」で森岡が行なったのは、永井からのコメントに触発されて、森岡の独在性の概念を明確化することであった。その一方で、永井の〈私〉の概念にかかわる基本的諸前提を受け入れたうえで永井の議論の問題点を内在的に批判する作業は行なえなかった。たとえば、永井は「人物○○が〈私〉である」という命題のほうが「存在論的な驚き」の含意が読み込みやすいとしているが、ここには「人物Aでもよかったのになぜか人物○○が〈私〉である」という驚きXと、「〈私〉は存在しなくてもよかったのになぜか存在している」という驚きYが混ざっている。永井の言う「存在論的な驚き」とはXなのかYなのかそれとも両方なのかという疑問が生じるわけで、この点は批判的に解明されなくてはならないだろう。以上の諸点については、重要な作業だと考えられるので、本シリーズの後続巻へとつなげていきたい。

繰り返しになるが、もう一度当初の論点に戻れば、永井に即するかぎり、〈私〉に関しては「人物○○が〈私〉である」と「〈私〉は人物○○である」は同一性命題として同じである。しかし森岡の独在的存在者に関しては、「独在的存在者は人物○○である」は有意味に成立するが「人物○○が独在的存在者である」は有意味には成立しない。したがって、森岡の言う独在的貫通としての独在的存在者の概念は、永井の言う〈私〉の概念とは異なるものである。ただし両者とも独在性を指し示す概念であることに間違いない。森岡の側から見た場合、この発見が本書最大の収穫であり、永井との対話がなければ気づくことのできなかったものである。これが冒頭に述べた一歩前進の内容である。この両者の差異をクリアーにするためには、貫通型独在性における人称的世界の構造をきちんと解明する必要がある。これについては、なるべく早い段階で包括的に言語化したいと考えている。そしてそれを森岡のメインの仕事である誕生肯定の哲学へと結びつけていきたい。

たとえば、誕生肯定に関するもっとも大きな哲学的問いのひとつに、「私はなぜ生まれてきたのか?」がある。さきほど指摘した二つの驚きの論点をここに適用すれば、この問いは次の二つの問い、すなわち「なぜ私は生まれてきたのか?」と「なぜ生まれてきたのは私なのか?」に分割される。前者を敷衍すれば、「なぜ独在的存在者である人物○○は、生まれてこなかったのではなく、すでに生まれてきているのか？」という独在的貫通の問いになり、後者を敷衍すれば、「なぜ独在的存在者として生まれてきたのは、人物Aでもなく、人物Bでもなく、独在的存在者である人物〇〇なのか？」という現実性の問いになる。この二つは、誕生肯定の哲学へと食い込んできた独在性の問いであると考えられる。『生まれてこないほうが良かったのか？』で述べた「反－反出生主義解釈」と「可能世界解釈」がそれぞれ前者と後者に対応するのかもしれない。だが、この説明ではまだ論点をうまく捉えきれていない。さらに言えば、貫通型独在性の観点から見れば「独在的存在者は他の人物でもあり得た」ということはあり得ない、という驚きこそが真の驚きであり、永井理論によっては捉えることのできない独在性の姿である。今後どのような地平がここから開けていくのだろうか。

以上、駆け足の考察とはなったが、コメントを寄せていただいた永井に感謝しつつ、この文章を閉じることにする。

註1　この「あとがき」では、永井の指摘に従い、「独在的存在者は人物〇〇である」というふうに「は」を使うことにした。ただし、「独在的存在者が人物〇〇である」という言い方は成立し得る。たとえば「独在的存在者は誰なのか？」という問いに対しては「独在的存在者は人物

○○だよ」と答えることができるとともに、「何が人物○○なのか?」という問いに対しては「独在的存在者が人物○○だよ」と答えることができる。「は」と「が」の問題はかなり奥深い論点かもしれない。語順の倒置によって「は」と「が」が入れ替わるということは、やはり言明内容は同一ではないとも言えるのではないか。

註2　永井は、森岡が第三章でこれらの〈私〉と《私》の二重性という最重要点に触れていないと指摘するが、森岡がそれに触れなかった理由は本書における永井批判の最重要点がそれではなかったからである。『世界の独在論的存在構造』の本筋に即する場合、この二重性の言語哲学的解明こそが最重要であることに森岡は異論はない。

あとがき

永井均は容赦のない哲学者である。その容赦のなさは、他の哲学者に対しても、過去の自分自身に対しても公平に働く。永井の哲学は、幼少期に驚きをもって問題が発見され、『〈私〉のメタフィジックス』を三四歳で上梓し、六九歳の現在に至るまで時間をかけて精緻化されてきた。永井の哲学を駆動する初発の驚きは、本書では「存在論的驚き」と記されているもので、他の子でもあり得たはずなのに、「なぜこの人が僕なのか?」と後に言語化されるような形で感じられたものであった。永井が主題とする〈私〉の表記については、本書の語句解説によると「現在の世界にはなぜか存在している、一人だけ他の人間とは全く違うあり方をしている人」とある。ただ、こうした〈私〉の問題は、言語化することで変形したり、消滅したりさえする儚い性質をもつことから、問題そのものの形を保ったまま哲学するには細心の注意を要する。そもそも普遍化できないはずの問題を言語で表現することそのものが矛盾した行為でもあり、その矛盾の構造を含めてどこまで精確に摑めるのか、永井は今も格闘している。

永井の哲学はまた、哲学を始める以前の幼少期の驚きを含むことから、読者に対して、「自分が考えていたものと同じことが記述されている！」と感じさせる魔力をもつ。しかし、実のところ、初発の驚きを原動力に哲学する離れ業をやってのけることは、永井以外には不可能だったし、今もそうなのではないかと思える。その一方で、永井が始めた哲学を考察対象にしたり、自らの哲学に取り込んで論じたり、真に批評できたりする人間がこの世には存在しないのかというと、決してそういうわけではない。永井が自らの驚きをもとに哲学することは、その純正を覆い隠してしまう恐れもあるのだが、この過程で、〈私〉の問題の現実と概念が区別され、私たち読者に考える道筋が拓かれているのだ。

すなわち、〈私〉の問題を考察対象として哲学できるのは、今や永井一人ではないし、永井のオリジナルな哲学を真に批評できる人間も少なからずいる。哲学する著者の人格や人生を超えて、問題が引き継がれ、共有されていく希望がここにある。

さて、公開対談イベント「現代哲学ラボ」が開催されたのは、二〇一五年のことで、六本木のホテル＆レジデンスに二〇名あまりの参加者が集い、永井均と森岡正博の対談を見守った。そこには、笑いに満ちた穏やかな時間が流れていた。この時の記録が本書の第2章になったが、哲楽ウェブサイトでは音源を公開しているので、二人の声で確認したい読者は、是非お聴き頂きたい。そして、森岡がこの日に問うた「翔太が〈私〉である」は理解可能なのかという問題は、数年の時を経て論文形式でまとめられ、永井が応答する形で、本書の第3章と第4章になった。ただ、読者も感じたであろうが、文章での二人の議論は噛み合っていない。第2章の対話の記録とは対照的に。これは、「独在性」という問題の定義が、二人の間で全く異なるということに起因しているようである。

もともと、〈私〉の問題に驚きを感じてそれを哲学として記述し始めたのは、永井自身なわけだが、〈私〉の特異な在り方や性質は「独在性」という言葉で森岡の著作でも用いられ、考察が深められてきた。もっぱら永井の著作を通して〈私〉の問題を理解してきた読者にとって、森岡が本書で新たに定義した「貫通型独在性」がどういうものなのか、理解は難しいはずだ。私自身もまだ、自分の理解に自信がない。そもそも、「〈私〉は翔太である」と「翔太が〈私〉である」という種類の発言を日常会話の中で聞く機会はなく、違いがあるとすればどこにあるのか、自分の想像力を駆使するのも、哲学的に考察するのもかなり微妙で難しい。

ここで、〈私〉に関する初発の問いが発せられた場面に再び注目してみよう。永井の存在論的驚きが感じられたのは、他の子でもあり得たはずなのに、「なぜこの人が僕なのか？」と後に言語化されるような場面であった。この驚きを〈私〉の問題として言語哲学の俎上に載せ、〈私〉を一つの概念として考察対象にすると、〈私〉は様々な可能な身体や人格を移動させて検討できる。したがって、「翔太が〈私〉である」と「〈私〉は翔太である」は、同じ意味として問題なく理解可能で、むしろ「が」で強調されていることから、前者の方が初発の存在論的驚きの痕跡を残している、と永井は考える。

一方で、森岡の捉える「貫通的独在性」というものは、幼いうちから自分自身の身体に目掛けて指差されるその向きによって〈私〉の位置は常に既に確定しているものであり、そこからしか話は定義上始められない、という種類のもののようである。また、この「貫通的独在性」は、現実の場面を離れて、哲学的な考察の過程においても、ある確定した位置を動かすことはできないものでもあるようだ。このことから、「翔太が〈私〉である」の文は、意味のある形で理解し得ないはずだ、と森岡は考える。

これに関連する場面として思い当たるのは、保育園などでよく使われる手遊び歌だ。この手遊び歌では、「翔太君、翔太君は、どこですか～?」と先生が歌い、他のみんなで一斉に「こっこでっす、こっこでっす、ここにい～ますよ～!」と翔太という名前の子が指差される。名前を入れ替えて順々に繰り返し別の子が指差され、こうして子どもたちは各自で、「そうか、これ（私の身体の場所）が翔太（私の名前）なのか」とか「あれ（別の子の身体の場所）が花子（別の子の名前）なのか」といった形で自分と別の子の場所と名前を把握するわけだ。

森岡の「貫通的独在性」が意味するのは、「二人称確定指示によって独在的に存在者の場所が定まる性質によって見えてくる独在性である」と記されているため、このような乳幼児向け手遊び歌をさらに抽象化して、指差している絵を通して理解されるようなものなのかもしれない。そして、「翔太が〈私〉である」は、常に既に確定しているはずの位置とは別のところから話が始まるため、森岡の目には〈私〉の成立と固有名の成立の順序が逆転しているように映り、この文は「有意味には措定できない」と解されるのかもしれない。森岡のいう「貫通的独在性」が実際にどのようなものなのかは、今後の著作でより明確にされるのを待たなければならないが、永井と森岡で、〈私〉に関する初発の問いが発せられる場面が異なり、そのことが「独在性」の定義に影響を与えている可能性があることは少なくとも指摘できる。今後、永井と森岡の議論が相互に噛み合う点が見出されることを期待したい。

さて、本書の制作には今回も心強い専門家の力をお借りした。電子書籍版から紙の本への編集を引き継いでくださった明石書店の柴村登治さんと、素晴らしいイラストを描いてくださっで内田かずひろさんに、ここで深く感謝申し上げたい。現代哲学ラボシリーズとしてはこれで2冊目の刊行となり、著者陣からも信頼の厚いお二人が、この本が形になるのを辛抱強く支えてくださった。チャレンジングな仕事をお引き受けくださり、ありがとうございます。

本書の議論が、あなた自身が生きる時間と交差することを期待して、永井と森岡の噛み合わなさも、私の誤読の可能性も、このままにしておこう。またどこかで、「現代哲学ラボ」の続きができることを願いつつ。

田中さをり

◎読書案内

※比較的入手しやすく、日本語で読めるものに限った。

本書で言及された永井均の本（刊行順）

・『〈私〉のメタフィジックス』勁草書房、一九八六年
・『〈魂〉に対する態度』勁草書房、一九九一年
・『〈子ども〉のための哲学』講談社現代新書、一九九六年
・『〈私〉の存在の比類なさ』勁草書房、一九九八年（のち講談社学術文庫、二〇一〇年）
・『転校生とブラック・ジャック――独在性をめぐるセミナー』岩波書店、二〇〇一年（のち岩波現代文庫、二〇一〇年）
・『私・今・そして神――開闢の哲学』講談社現代新書、二〇〇四年
・『〈私〉の哲学 を哲学する』講談社、二〇一〇年（入不二基義、上野修、青山拓央共著）
・『ウィトゲンシュタインの誤診――『青色本』を掘り崩す』ナカニシヤ出版、二〇一二年（のち『『青色本』を掘り崩す――ウィトゲンシュタインの誤診』講談社学術文庫、二〇一八年）
・『哲学の密かな闘い』ぷねうま舎、二〇一三年（のち『新版 哲学の密かな闘い』岩波現代文庫、

二〇一八年）
・『哲学の賑やかな呟き』ぷねうま舎、二〇一三年
・『存在と時間　哲学探究1』文藝春秋、二〇一六年
・『世界の独在論的存在構造　哲学探究2』春秋社、二〇一八年

本書と特に関係が深い森岡正博の本と論文

・森岡正博・寺田にゃんこふ『まんが哲学入門――生きるって何だろう？』講談社現代新書、二〇一三年
・森岡正博『生まれてこないほうが良かったのか？――生命の哲学へ！』筑摩選書、二〇二〇年
・森岡正博「この宇宙の中にひとりだけ特殊な形で存在することの意味――「独在性」哲学批判序説」（池上哲司・永井均ほか編　叢書エチカ3『自己と他者』昭和堂、一九九四年二月、一一〇―一三二頁）
・森岡正博「独在今在此在的存在者」（『現代生命哲学研究』第6号、二〇一七年、一〇一－一五六頁）

第3章の註で言及された本と論文

・新山喜嗣『ソシアの錯覚――可能世界と他者』春秋社、二〇一一年

・中原紀生「「私」がいっぱい」一九九九年、
http://www.eonet.ne.jp/~orion-n/ESSAY/TETUGAKU/17.html
・冲永宜司『心の形而上学』創文社、二〇〇七年
・勝守真『現代日本哲学への問い』勁草書房、二〇〇九年

第4章で言及された本

・カント『純粋理性批判』(上・中・下) 篠田英雄訳、岩波文庫、一九六一～一九六二年
・藤田一照、永井均、山下良道『〈仏教3・0〉を哲学する バージョンⅡ』春秋社、二〇二〇年
・エトムント・フッサール『内的時間意識の現象学』谷徹訳、ちくま学芸文庫、二〇一六年

その他、本書を読むうえで参考になると思われる図書

〈マクタガートの時間論に関して〉

・ジョン・エリス・マクタガート『時間の非実在性』永井均訳・注解と論評、講談社学術文庫、二〇一七年
・田中さをり『時間の解体新書――手話と産みの空間ではじめる』明石書店、二〇二一年

〈**ウィトゲンシュタインの哲学、とりわけウィトゲンシュタインの独我論に関して**〉

・ウィトゲンシュタイン『論理哲学論考』野矢茂樹訳、岩波文庫、二〇〇三年
・ウィトゲンシュタイン『青色本』大森荘蔵訳、ちくま学芸文庫、二〇一〇年
・ルートウィッヒ・ウィトゲンシュタイン『哲学探究』鬼界彰夫訳、講談社、二〇二〇年
・鬼界彰夫『ウィトゲンシュタインはこう考えた——哲学的思考の全軌跡 1912-1951』講談社現代新書、二〇〇三年
・古田徹也『ウィトゲンシュタイン論理哲学論考』角川選書、二〇一九年

〈**古代インドの哲学・思想に関して**〉

・湯田豊『ウパニシャッド——翻訳および解説』大東出版社、二〇〇〇年
・辻直四郎『ウパニシャッド』講談社学術文庫、一九九〇年

〈**現実性に関して**〉

・入不二基義『あるようにあり、なるようになる——運命論の運命』講談社、二〇一五年
・入不二基義『現実性の問題』筑摩書房、二〇二〇年

プロフィール

永井　均（ながい・ひとし）

一九五一年十一月一〇日生まれ。慶應義塾大学文学部卒業・同大学院文学研究科博士課程単位取得。現在、日本大学文理学部教授（専攻は哲学・倫理学）。著書に『子どものための哲学対話』『私・今・そして神――開闢の哲学』『哲学の密かな闘い』『哲学の賑やかな呟き』『存在と時間――哲学探究Ⅰ』『世界の独在論的存在構造――哲学探究Ⅱ』など。

森岡正博（もりおか・まさひろ）

一九五八年九月二十五日高知県生まれ。東京大学文学部倫理学科卒。同大学院人文科学研究科博士課程単位取得。博士(人間科学)。現在、早稲田大学人間科学部教授。哲学、倫理学、生命学を中心に、学術書からエッセイまで幅広い執筆活動を行なう。著書に『まんが哲学入門』『無痛文明論』『生まれてこないほうが良かったのか――生命の哲学へ！』など多数。

田中さをり（たなか・さをり）
千葉大学大学院で哲学と情報科学を専攻し、その後広報担当者として研究機関・出版社・大学に勤務。二〇〇九年より哲学者のインタビューをpodcastで配信し、高校生からの哲学雑誌「哲楽」編集人を務める。著書に『哲学者に会いにゆこう』『時間の解体新書――手話と産みの空間ではじめる』がある。

※イベント開催補助と電子書籍「現代哲学ラボ」の編集は哲楽編集部の田中さをり、俵邦昭が担当しました。

私

現代哲学ラボ・シリーズ　第2巻

〈私〉をめぐる対決――独在性を哲学する

二〇二一年一二月二五日　初版第一刷発行

著　者――永井　均
　　　　　森岡正博

発行者――大江道雅

発行所――株式会社　明石書店
〒一〇一-〇〇二一　東京都千代田区外神田六-九-五
電　話　〇三-五八一八-一一七一
ＦＡＸ　〇三-五八一八-一一七四
振　替　〇〇一〇〇-七-二四五〇五
https://www.akashi.co.jp

印刷――モリモト印刷株式会社

製本――モリモト印刷株式会社

（定価はカバーに表示してあります）

ISBN 978-4-7503-5330-2